自分のことは自分で決める

世間との距離感

ますもとうめ
Masumoto Ume

論創社

はじめに

二〇二三年三月三一日、朝日新聞にこんな内容の記事があった。
「斜影の森から」と題するコラムである。

「わたしは久保山愛吉という漁師です。わたしたちの漁船ラッキードラゴンは1954年3月1日、ビキニ環礁から80マイルのキノコ雲の下をさまよい被曝《ひばく》しました……その年の9月23日、わたしは被曝のために死にました」

第五福竜丸が米国の水爆実験により「死の灰」を浴びた、その惨事を画家ベン・シャーンが絵に描いた。これは絵の中の男が右手に持つ紙に書かれた英文である。彼の連作画に日本に住む詩人アーサー・ビナードさんが詩をつけた。

「久保山さんのことを　わすれない」と

ひとびとは　いった。

けれど　わすれるのを　じっと
まっている　ひとたちもいる。

忘れるのをじっと待っている人たちがいる。うんうん、そうだ。それに、忘れるように仕向けている人々もいる。

けれども、忘れているのは誰だ？　私たち、あなたたちじゃないか？

第五福竜丸の事件を、一〇歳だった私は覚えている。でも、新聞紙面で一番目立っていたのは「放射能マグロは危険！」という大きな文字と水揚げされたマグロの写真だ。実験をしたアメリカのことより久保山さんのことより、マグロが目立っていたように思う。そもそも何が原因だったのか、それが忘れられていないか？

忘れてはいけない。そう思ったとき、盟友鶴丸幸代さんの手紙を仕舞い込んでいた自分に気づいた。鶴丸さんはかつて、戦争中の女性たちの暮らしを聞き書きして『銃後史ノート』に掲載していた、きちんとした歴史観を持った人である。

そのうえで彼女自身が経験した病気や、子どもの不登校について問題提起をしてきた。

その貴重な記録を忘れてはいけない、と。

彼女が言いたかったこと、言うだけでなく行動で示していたこと。それを、誰か一人にでもいいから伝えたい。もし、一緒に考える人がいたら、鶴丸さんの存在が大きな意味を持つ、そう考えた。

彼女は、自分のことは自分で決めたい、そう強く願っていたのに、それを阻む制度や世間の壁にぶつかった。

その壁について考えよう。自分のことは自分で決めたい、は我が儘なのか？　現実離れした空想なのか？

もっともっと、自分たちで、考えよう。

二〇二三年七月

ますもと　うめ

自分のことは自分で決める――世間との距離感　目次

第五章　私と世間との距離　147

附章　追悼・西村光夫さん／ごんべえ　181

第一章　鶴丸幸代さんの問いかけ

1　鶴丸幸代さんからの論文

二〇一五年六月の日付で、友人の鶴丸幸代《つるまるさちよ》さんから以下の原稿が送られてきた。真剣な真っ直ぐな問いかけの文章であった。

鶴丸さんはこの文章を原稿用紙に書いてコピーし、数十人の友人・知人に送った。そのうちの一つが私の所に届いた。仮にこれを「鶴丸論文」としたい。これは教育・医療・介護の当事者、つまり今の制度では「受け手」にならざるを得ない立場からの問いかけである。

その前後に彼女から来た手紙とともに、私につきつけられた課題でもある。

きわめて個人的な出来事なのか、社会的な出来事なのか。「特別」にされたとたんに個人的なことになってしまう。医師や看護師、ヘルパー、学校の先生を個人的に糾弾したいわけでもない。しかし「特別」と言い放つ社会的背景に、不気味な何かがあるような気がして、この三十年を暮らしてきた。

一つ

多田富雄さん（著者注、免疫学者。鶴見和子さんとの往復書簡『邂逅』〈藤原書店〉で自身の病に触れている）は、脳梗塞後遺症で、歩けない・話せない・飲み込みができないという重度の障害者になられた。しかし、二〇〇一年五月に倒れられてから二〇一〇年に亡くなられるまで何冊かの本を上梓し、いくつかの新作能の脚本を書かれたりしている。介護保険は受けず、奥さんの介助をうけながら、リハビリに通い、能の会に通い、生から死への特別な時間を駆けぬけていかれた。

介護保険を受けなかった、ということにわたしは強い印象をうけた。わたし自身は小脳の脳梗塞で、自宅に戻るにあたってシルバーカーつきでないと歩けなかった。

「鶴丸さん、つかまり歩きなら歩けるでしょう」と医師はいう。そしていろんな人に聞かれた。

「介護保険はどうなさいます？」

でも、いったい介護保険はわたしになにをしてくれるのだろう。買い物に行くこと自体が、わたしにとってのリハビリである。二週間に一度とはいえ、料理をまかせられるのはわたしのリハビリであった。メニューを考え、材料を考え、手順を考え、新聞紙を床に広げ、皮むき器でじゃがいもの皮をむく。一週間前から考え、朝早くから丸一日がかりでつくった。喜んだ。まるで幼児が今日のおかずは自分がつくった！と誇らしげな顔をするようなものだ。

メモをとるのもアタマのなかのいろいろを整理し、声に出し、あるいはメモ用紙をとりに歩き、字を書く練習である。そういうことすべてはヘルパーさんなしにできる練習である。

わたしが必要としていることは、この世を生きる見通し、希望、活力みたいなものであった。何かを教えてもらおうというのではない。「思考」のきっかけになるようなものである。
だから問うた。
なぜあなたは生きているの？
どういうふうに毎日を生きているの？

多田さんは国際的に有名な免疫学者で作家だから、介護保険を受けずに「特別」にやっていけるのだろうか。わたしは自分の思い描く今後の人生に、介護保険がマッチしなかっただけのことではないか、と推測した。

二つ

K病院はよくない病院よ、と身の回りの人に言い続けている。生き残るために世話になったという意識がぬけないため、人の倫理にもとることなんだろうか、と、ときに思いながら、しつこく一年半考え続けた。
もうろうと混乱のなか、断片的に聞こえてくる声にわたしは身を固くした。

「ステロイド五mg？　夜中に痛い痛い騒がれても困るし、ま、いいか」

と看護師はいった。点滴を開始するときである。事前に、私は黄色い液を吐きながら複雑な病歴と薬について説明していた。

東日本大震災後、三十年来のリウマチが増悪。一時はステロイドを七mgも使ったが、高血糖がではじめたので少しずつ減らして三・五mgまでようやく減らしたところだった。身が固くなった。

「どういうことですか？」

と問いたかった。けれど、ものは話せない。説明しようにもこれだけのことをしゃべるのに膨大なエネルギーを必要とする。あきらめた。

すべてはここに始まる。ゆるみきったこと、親切にしてもらったこと、ないがしろにされたこと、屈辱的なこと、さまざまなことが通りすぎた。そして三週間たった。

親切なヘルパーさんが親切な看護師さんとベッドの傍らで個人的なことを話しはじめた。

「あー、イソガシ、イソガシってまだ言ってる？」

看護師は言葉ではこたえないけれども、顔をゆがめてうなずいた。それだけのことだけれども、威張った看護師にうんざりしているスタッフの陰口だとはすぐにわかった。それを聞いたとき、この病院から早く逃げないといけない、と思った。

四週間以上たった。回診の医師に問うた。倒れる前の薬を説明し、この病院の看護師の発言を述べ、今はリウマチ、肝炎、心不全についてはどういう治療をしているのか、と問うた。三〇分待たされて説明をうけた。ステロイド五mgについては、この病院には一〇mgの液しかありませんでしたので、半分ずつ使うことにしました、ということだった。後日、理学療法士さんが、

「鶴丸さんはアタマのいい人だからウカツなことを言わないように、と言われたよ」と。

ん？

「薬は種類も量も医者と相談しながら今までは決めていました。ここでは一方的です」

療法士さんは「えっ？」

その反応にわたしは「えっ？」

なんか解せなかったけれど、会話はここで終わった。

こんなことにひっかかる患者は、ゼイタクな「特別」な患者なのだろうか。

三つ

娘は小学校に二か月通ったところで、学校に行くのはイヤだと言い出した。七歳。一年ほどわたしもぐずぐずしていたが、二年の二学期から「学校は行きたいときに行けばいい」ことにした。娘は明るくなった。

「でも社会人になるためのプログラムは必要。一緒に考えていこう」と毎日喧嘩しながら考えていた。四年になって父親ともども学校に向かい、「学校がイヤだといいますから、学校には行かせません」といった。娘はのびのびと遊び、出歩き、登校拒否を謳歌した。五年から自分の意見で学校に復帰した。

息子は小学校三年のころからいじめにあっている。お姉ちゃんが登校拒否を謳歌しているころ。いじめっ子に出会わないよう、学校に行かないことを選択した。二、三年間ひきこもった。そして様子を見ながら、中学校から少しずつ復帰した。

人は言う。

「鶴丸さんとこは特別よ」

なにが特別なのかはっきりとは分からない。娘には学校向けのアタマがあったということかな、と思う。彼女は「特別」であり、一方で学校や世間には「いじめ」をやる人もいるということを知らなかった息子は「あほ」だったのか？

三十年間、首をかしげてきた。風通しのいいオープンな学校であれば、わざわざ「登校拒否」なんてしなくてすんだのに。

別紙「もう一つの福祉」をお読みください。「もう一つの福祉」は、「ばおばぶ」の機関誌のようなもの。「ばおばぶ」は五十嵐正人さん夫婦と重度障害者二人が中心にいる福祉施設？　家？　なんとか法人でもなく、ＮＰＯ法人でもなく……。

この三十年来のわたしの痒いところに、五十嵐さんは孫の手をさしだしてくれました。

〈「もう一つの福祉」と、二つの事件を報じた新聞記事のコピーを紛失したため中略（著者注）〉

この二つの事件が違う種類のものだということは分かっていただけると思います。二つ目の文章は虐待があったという記事ですが、前の文章はなんの抵抗もできない文句もいえない「障害者」相手だから、朝食を前日に配ったという記事に見えます。

これは「ユダヤ人」だからガス室送りはなんの問題もない、というのと同じだと五十嵐さんはおっしゃいます。そうか、そうだったんだ、とわたしは納得した次第です。「黒人」だからバスは後部座席で、「なになに」だから「なになには当然」という、差別というシステム、言葉では言い表せないおぞましいものをはらんだ視線です。

わたしがK病院に梯子をはずされたような気分で、一刻も早く逃げ出さないと危ないと思ったのは虐待があったからではないのです。（いや、少し、「拘束」という虐待はあったかな）虐待はないけれども底なし沼に落ち込んでいく感じです。親切な人はいるけれど、システムのかもしだす恐怖を消すにはなんの助けにもならない。

十年以上前、この病院に入院していた先輩のことを一年以上考えつづけました。必死の形相で、歩けない足で、この病院を脱走しようとしたそうです。どういえばこの状況を説明できるでしょう。

朝食のパンを人手が少ないので前日の夕方にくばっていたようなもの。なにもできない患者、抵抗できない患者は夜中の四時に血液をとりにきても文句はないだろう、と。看護師の都合が多すぎた。医師による説明は家族にのみ。当時わたしはベッドから車椅子に移乗するだけで三、四人の人手がいった。それでだろうか。わたしは自分の病状、治療について、医師を摑まえて質問を浴びせるまでなんの説明も受けなかったのです。

自分のことは自分で決める、その前提すら保証されなかったのです。患者という何もできない人が相手だと、やりたい放題できるのだ。この時から親切と善意の顔をしたものに、何があるのだろうと裏まで考えるようになった。

風通しのいい、オープンな学校であれば、まったく言葉の分からないイギリスの学校にかよえた娘は、なんの問題もなく学校に行けたはずだ。

わたしの言いたいのは、学校むけの「特別」があるところは「障害者」むけの「特別」がある、ということだ。登校拒否者と障害者、そして普通に学校に通っている子は同じ地平にいる。

同じ地平にいるということがとても大事なことだと思います。上から「管理」することを心がける人は、なにも抵抗できない、騒ぐだけしかできない患者や障害者や子どもたちや福祉の利用者に対して、自分がなにをやっているか無神経なんだと思います。差別がシステムになって、善意顔してやってくるのですから。虐待にすぐつながるシステムです。患者、障害者、子ども、利用者、ユダヤ人、「なになに」は人扱いしなくていいというシステム、人を物体として品質管理するシステムは、それのもつおぞましさを常に自覚していないと双方ともに痛い目に遭うシステムだと思います。

多田さんは、自分の「幸福」(といっていいかな、内的に沸きあがってくるもの?)を追い、「新しい自分」を楽しみながら生きられたようにわたしは、思う。国際的に有名な免疫学者なんて関係ないことじゃないかな。与えられた状況のなかで、「特別」なんて関係ないところで、自分の人生の「幸福」を追いもとめられたように思う。生きる意欲の活力みたいなものを楽しみながら、いつくしみながら。

追記

病院について。二〇一四年一二月リハビリ病院に転院した。おびえていた看護師、療法士、ヘルパーなどスタッフ同士のかげ口、悪口は聞こえてこなかった。一か月たってようやく鎧を脱いでリハビリに専念した。

入院した翌日から患者さんが廊下で声をかけてくれた。あっという間にあっちからもこっちからも。いつもおばあさんたちの女子会がひらかれていた。みるみるわたしは明るくなっていったし、これも鎧をぬぐのに大きな力になったと思う。

患者にとってスタッフ間のかげ口が聞こえてこないこと、この世と同じ地平にあるもろもろのことが保証されるのは回復への第一歩であるように思う。

（了）

2　鶴丸幸代さんと私

論文『三つの「特別」について語ろうと思う』を残してくれた鶴丸幸代さん。

生きているうちに、もっともっと話し合っておけば良かった。もっと多くの人に伝えて「輪」を広げておけば良かった。後悔を含みながら、今、記憶からよみがえらせ、皆さんに問いかけたいと思う。

鶴丸幸代さん。福岡県生まれ（一九五〇年－二〇一八年）

出会いは、私が松戸で小児科医院を開業してまもなく、一九八〇年代の半ばだった。市民集会で出会ったときに指が痛いと話しかけられた。ピシッと切りそろえたおかっぱ頭と大きな黒目が印象的だった。あとから思えば、それが彼女が生涯付き合うことになる「慢性関節リウマチ」の始まりだった。

鶴丸さんは九州大学卒業後、愛媛県の紡績工場内の高校教師になる。一九七二年のその時にも工場内の高校が残っていた、という事実に私はちょっと驚いた。四国本土には無くなっていたが島にはあったのだそうだ。

その後、「女たちの現在《いま》を問う会」に参加して雑誌『銃後史ノート』（JCA出版）を作る。私の手元には一号から三号の合本しか残されていないが、女性史家加納実紀代さんたちと共に毎号聞き書きや調査の成果を掲載している。

千葉県松戸市では一九八九年、昭和天皇死去に伴い市役所に記帳所が設けられたことに抗議して鶴丸さんは法廷闘争に参加。のちには、外環自動車道の延伸で彼女の住む矢切地区（松戸市）にも立ち退き問題が起きて反対運動に関わる。こうした市民運動に彼女は積極的に参加した。

その間、私と彼女はおりおり病気の話や活動の話をしていたが、行動を共にしたのは一九九〇年、東京山谷の労働者福祉会館前で毎月一回、おにぎりや古着を「売る」ために通い始めてからだった。その頃、私は山谷で活動している人たちと友人を介して知り合い、建設現場で働いてきた人々が自力で会館を作ったのを知った。しかし、毎月の返済額が高い。カンパを募っていたけれど、別の支援ができないか考えた。

それで、松戸市で発行されていた住民のミニコミ誌に山谷の現状と自分の考えを書いたところ、鶴丸さんともう一人の女性の友人が応えてくれた。

カンパを集めることはある意味たやすい。しかし、直接そこに居たかった。三人でおにぎりを作り、古着を集めた。それをそのまま置いていくのではなく、話を聞くきっかけにするため、おにぎり三〇円、ズボン一〇〇円、などと値段をつけて買ってもらい、売上を会館の運営をしている団体に置いてきた。「あんたたち、ボランティアなの？ それなら金とるなよ」とも言われた。いや、この売り上げは会館の運営に使うのよ、というと「じゃ、俺も少しは役に立つのかな」と反応があるかと思えば、沢山買って仲間に分ける人もいる。中にはそうやって、親分風をふかす人もいた。

特に何かしたわけでもないし、できるとも思っていなかった。ただ、そこに居た。それでも約一〇年通い、いろいろな場面に遭遇した。その頃は建設不況が始まり、仕事のあるときはドヤ（簡易宿泊所）に泊り、無いときは野宿する、という人が多かった。あとから思えば、まだ元気な人も若い人もいた。私たちが支援者ではないし活動家でもないと見て、つまり、大して気にしないでよい存在と見たのだろう、目の前で賭博は始まるし、ケンカも起きる。体力がある人には一目置き、弱そうな人は周辺にいる。身の上話をする人、あっちへ行けと拒否する人。ギターを手に上手に歌う人もいて、そんなときは私たちも加わった。そうしたグループには近づかないようにしている人にはこちらから「おにぎりどうですか?」と声をかけたりもした。一時間ほどで引き揚げる、ささやかな関わりだった。

その往復の時間、三人であれこれおしゃべりをして、次の月に会う。確認しなくても必ずみんな来る、という信頼感はあった。

しかし、鶴丸さんの父親の再婚相手、といっても鶴丸さんが家を離れてからの結婚なので共に暮らしたことはない、その人が父親が先に亡くなり一人で暮らしていたところ、介護が必要になったという。周囲に親戚がいないわけではない。でも誰も手を上げない。

「だから、私、福岡に行ってくる」

「へー、粋だねー」その時の私の実感である。

彼女は介護保険が始まったばかりの時期で慣れない事務的な仕事もこなし、初対面同様の義母を介護した。結局二年間実家に住んで義母を見送り松戸に戻ってきた。

そのあと二〇一一年、『15の春まで筑豊にて』（インパクト出版会）上梓。中学の同級生と筑豊での生活を振り返り、語り合っている。なんと表紙の絵まで描いている。

それまでも私とは手紙のやりとりはあったのだが、「これは取っておかなくちゃ」と意識したのはこのあとだ。

二〇一三年九月　ハガキ（発病前）

「正論」は対行政や表向きの世間への言葉。巷の人々の心には届かない。ということは「正論」は欠陥言葉か？

〝資本のあるとこ勝ち〟の様相を呈してきた老人介護の世界と違い、まだ障害者の世界はゆったりしている。

同じ日に、もう一通のハガキ

当「オリーブの家」は、ちょっとウツの精神障害者、ちょっとアスペルガー症候群かなという人、動きが鈍い身体障害者（私）というやっかい者をかかえた特異な家族共同体集団。

老人介護の世界では即クビになってしまいそうな、困った言動もときに。私でさえ「正論」で怒鳴りつけたいこともあるけど、怒鳴ったらシャッターがおりるから、それは選択肢からはずした。

ここでは愚痴が「正論」です。「正論」が無化されたところで、どう言葉を届かせるか、面白い人間関係です。

二〇一三年一〇月

「入院顛末記」を添えた手紙がきた。

入院顛末記

お彼岸をはさんで二週間の緊急入院。脳血栓、大脳左後頭部に血栓が星のように散らばっていました。

九月一五日日曜日。オリーブの家の仕事でゆかちゃんのカラオケに付き合っていた。視点が定まらないが送り届けるまでは、と気を抜かず…中略…自宅療養してからJR東京病院へ。MRIで血栓が散らばっていると、二週間入院。…中略…後遺症は視界が少々狭まったこと。

病院は不思議な空間でした。窓から見える「自然」は空だけ。台風が来たらしいけど、雨足ひとつ気にならない。気温は一定。ある人たちは元気になって退院していき、ある人は亡くなり、ある人はナースコールを押し続ける。

徹底的に管理の行き届いた社会。

しばらくして、手紙

―お元気で働いてらっしゃいますか?―

今日は通院日……脳神経科に。

別紙のような次第で、もう一つ病名がふえました。

リウマチも心臓も肝臓も、脳もいずれも優秀な先生に当たって有難いことですが、ふっと気づいたことですが、皆さんよもやま話など、これっぽっちもする気はないようです。患者の生活とか人となりなんぞ、時間の無駄という具合です。

そこで思い出したのですが、M先生（著者注＝私の同級生で、鶴丸さんが発病したときに紹介した医師）とは、五分間診療の大半をよもやま話についやしていましたね。不思議なことに二〇年間、リウマチは大暴れしなかったですね。私も二か月に一度、先生にお会いするのが楽しみでしたしね。

お若い先生方は病気は好き（数値が好き）だけど、病人はあまりお好きじゃないようです。こちらも、ほんとに忙しいのだからと、お利口さんになって先生の知りたい情報だけを知らせるよう努力したりしてね。お利口さんのふりをしようと思えばまだまだできる。

今日届いたペシャワール会（パキスタン、アフガニスタンで医療活動者を支援する非政府組織）の会報を読んでいましたら、会は三無主義（無思想・無節操・無駄）でやってきた、という言葉がありまして、これって全共闘世代の医者が体得している医道なのかもしれないなと、同世代として誇りに思いました。

さほどの障害もなく助けてもらったのに、感謝より窮屈を感じてしまう、ここんとこの病院とのつきあいです。

入院中、すてきな言語療法士さんに会いました。別のところで社会人をやっていたけれど、思うところあって言語療法士に。

上半身の指圧からはじめるのですよ。

教科書にこういうマニュアルがあるのですか？

いいえ、独学です。肩甲骨のまわりの筋肉、肩、首の筋肉を柔らかくして始めると、発声がよくなると気づいたんで、筋肉をもみほぐすことからしているのです、と。

私にすれば、コチンコチンにこわばった右半身がほぐれることで頭も柔らかくなって、演説絶好調。彼女が好きになったので、よくしゃべりました。おかげで、おしゃべり能力◎をもらいました。

今年いっぱいは「気」を養うことに努力します。歩いて、畑とオリーブの家で働いて、森で気功して。

お元気で、いい仕事をなさってください。

二〇一四年四月　ハガキ

昨日は雨の中をきていただき、ありがとうございました。雨、風の強い中、帰りは大変だったのではないかと思いました。

感性や記憶や感情のピースがいろいろとつながってきたように思います。つながることで「覚悟」が決まります。おいおいやっていこうと思います。

こういう話がしたかったんだ、と今思っています。ありがとう。

二〇一四年七月　手紙

夏がきましたね。

早朝、ヨロヨロしながら一時間ほど畑で草ぬき。だいぶしゃんと立てるようになったね、と、畑仕事をしているおじさんに褒められて、うん、こういうのがうれしい！

というカンジです。

誤解のなきよう、ひとこと。

安心安全な街づくりにご協力を（松戸防災無線）

安定は希望です（公明党ポスター）

暴風がふきあれたあとは、ちょっと「安心・安定」に人はあこがれてしまいますが、この「安心・安定」は制度にのっからないといけないですね。

制度から一緒に逃げよう、です。

「教育」から、子どもたちと一緒に逃げました。

「医療」からできるだけ逃げることにしました。

「福祉」から逃げられるだけ逃げることにしました。

国家のヒモつきだとろくなことにならないです。

教育・福祉で骨身にしみましたからね。

というわけで、柏の「ばおばぶ」五十嵐正人さんの言葉、制度からいっしょに逃げよう、が気にいってます。

今日、哲学者ハンナ・アーレントの記事が新聞に出ていました。

経済の悪化や不安定な国際情勢によって社会不安が広がると、大衆は分かりやすい世界観、特に政治勢力に傾倒する。大衆社会は全体主義をうみだす契機になる、と提示したそうですね。

これを乗り越えるために、一人一人が、違った見方で世界を眺めることで初めて世界はまともに存在する、というわけです。

民族、宗教、文化の違いに対する拒否感と、その乗り越え方、けっこう悩みますよ。こんちくしょう！　と思ってしまう同僚のこと、など。事の理非を説いても素通りだし、ね。言い合って、あーあという調子ですね。

一応、ここは困ったさんたちを排除しないし（クビにしない）、なんとかしようとやっきになるわけでもないし。これ、いいかも、というカンジをハンナ・アーレントさんに理論づけしてもらったようで紹介しました。

二〇一五年四月　ハガキ

お元気ですか？

先日は雨の中を本当にありがとうございました。

「自分のことは自分で決める」という言葉は大きな収穫でした。（私はまさに、そこでK病院の闇にほうりこまれた）

自分のことを考えると、

次に認識力、判断力の関係で「自分のことは自分で決める」に支障が出てくるように思いました。

ある人が、

「人にゆだねる」問題であり、そのとき、その人にたくす、ということだといいます。ああ、そうかと思いました。

でも「自我」をどこで大海にゆだねるかどうかは、それこそ自分で決める問題だけれど、大変難しい問題です。

一連のものが、自分の人生の広がりと深さをもって、だいぶとらえられるようになってきました。

多田富雄さんと鶴見和子さんの『邂逅』、とても触発される本でした。

前に読んだときは、碩学の二人が脳卒中になって、ふむふむという感じでやっぱり流れていっていたのですが、いまは、一字一句たちどまっています。

このことは、また後日。

二〇一五年八月

第一章の1で紹介した「三つの「特別」について語ろうと思う」と題する論文とともに手紙がきた。

いろいろ考えていたら、熱風が毎日のようにおそってきて思考停止。みんなサバイバルのなかに暮らしているのですね。

〝いろいろと考えていた〟といいますが、死ぬにあたって社会資源が果たす役割というのは二十分の一くらいじゃないかということです。これはヘルパーをしながらも考えたことです。いろんな状況があるとはいえ、です。介護というのは人の生死の手助けで、マニュアルで提示できるものではないと思うのです。物理的に生物的に以外にも、自分はどう生きるか、どう死ぬか、この死生観から逃げられない。孤独に考え抜くしかない、そう、いまのところ考えています。

与えられた状況のなかで、ストイックではなしに、自分のしあわせみたいなものを追求していけるかどうか。その糸が切れたとき、シナプスも筋肉も衰えていき天井をみて暮らすことになるかなと思うのです。

社会資源の人（ヘルバーなど介護保険制度でサービスしている人、著者注）はこういうことを考えないだろうし（個人に即して）、考えたとしてもそのヘルパーの死生観が問題になるわけで、耳のまわりをブンブンとびまわるハエのようでうるさい。自分の死生観、世界観を常日頃、まわりの人に伝えるか、あるいはそれを読み取るまわりがいるかどうか。それがなければあきらめるしかないかなと思っています。

半径五〇〇〜一〇〇〇メートルの空間で（例外。この前眼科の治療のためお茶ノ水まで一人で行ってきました）、健常者の五倍から十倍かかる時間で考えています。

今の世界のシステムは「慢心」という病がはびこりはじめていると思います。旧社会主義のグルジアの映画を九〇年前後に見たのですが、やっぱり行き詰ってくると腐臭を放ってくるというか——日本もそれなのかなと思います。K病院も腐臭そのものでした。社会はこういう形でくずれはじめるのかな、くずれた先をどう立て直すか、そんなことを考えています。あんまりストイックではエネルギーが枯れてしまいそうで、やっぱり「しあわせ感」に賭けてしまいます。

同封のもの、自分の疑問に一つの解答がでたことを書いたものです。暇なとき、読んでみてください。文章おかしなところもありますが、いまはお目こぼしを。

二〇一六年二月　手紙

元気にしてます。K病院の悪口を書いたらかなり落ちついたようで、返事遅くなりました。

「素性」という言葉、こういう使い方知らなかった。さしずめわたしだったら「生き方」とか「生きる姿勢」とか、少々固い言葉になってしまうかも。

ここんとこ、なぜ日本は原発と基地をなくせないかとか、いろんな摩擦と自由・解放感について考えこんでいます。

病気で倒れたおかげで、正直になりました。ものごとは単純じゃないということはわかっているのですが、やっぱり「素性」が明らかでないと誤解がいっぱいで、重荷です。おかげで事件がおきるたびに腹の底のわたしと対話し、小さな心の器を素直に出すようになりました。認知症がはじまっているらしい夫の母に上手に説得はできないですが、わたしはあなたの社会資源ではないのよという態度をとります。拘束衣を脱いだ気分です。

「目がしっかり見えない。この前までできてた折り紙が上手にできない。云々」

「九十まで折り紙がしっかりできてたんだからヨシとしたら？　またトーチャンをつきあいにあちこちつれまわすのもイヤでしょう。仕事やすまなくてはならないし」と。

これはいいことなのか悪いことなのか。彼女の、なにがなんでもステージを降りない「素性」にわたしはつきあう気はないよ、というわけです。ほんとコラムの人みたいです。わたしの中の決断です。ここまでくるのに長いことかかりました。

でも、この摩擦がなければ人の辛酸をなめるような人生を、身をもって知ることもなかったたし（活字で知るのとはわけが違う。その可哀そうに、という同情がわたしの拘束衣でした。）、拘束衣を脱ぐ解放感もなかったたし、覚悟ある生をえらぶこともなかったろうし、逆にいえば、摩擦を知らなければ解放感も覚悟も知らないいますますごすことになる……。

とろとろと考えていきます。お元気で。

二〇一六年九月　ハガキ

お元気ですか。

雨が降りつづいています。こういう日は考える日。そう決めました。二年、三年もかかって。塩分二グラムの減塩食を考えながら、この日常からどう原発のことも基地のことも首をかしげながら抵抗していくんだろうというようなことを考えています。東村高江（著者注、沖縄県東村で米軍へリパッド移設工事に住民が反対した）の座り込みとポケモンGOのうかれ日が重なって夜七時のニュースで同時に流していました。すごい勢いで濁流が流れているようで。

津久井やまゆり園のこともその一つです。ばおばぶの五十嵐さんが「もう一つの福祉」でそこのところをえぐってくれています。医療や介護保険で首を傾げたことと五十嵐さんが障害者福祉で考えられたこと、重なりあってちょっと「元気」になりました。是非読んでくださいな。

隅谷さんの「ロック」（著者注＝同じ松戸市内に住む高齢の女性史研究家、隅谷茂子さんが大腿骨骨折で歩けないのに這いずって病院から逃げようとしたこと）、ここまでやれなくちゃ、と最近しみじみと思ってます。

　このあと、二〇一七年は二人で春と秋に外を歩きながら長話をした。春は、大分麻痺が軽くなってきた身体で買い物カートを押してきた。北総線矢切駅で落ち合い、市川方面に栗山の坂を上り、回向院別院の前で右に入る。じきに林と草原が現れ、ハナダイコンやスミレが咲き乱れていた。市川の里見緑地だ。その先の里見公園は人が多いけれど、ここは静かだった。起伏が多いのに鶴丸さんはカートを押しながら歩いていく。花の話、友人たちのこと。「わたし、最近頭が良くなったのよ」「ん?」。

「長い時間考えてるからね、ははは」、そんな調子である。私が「息子の家にご飯作って持って行ったから、医師会の会議さぼっちゃった」と言えば、「ほら！　みんな役に立っているじゃない！　ははは」。

　緑地の合間に農家や家作が何軒か見えた。「そういえば、ごんべえ（私の連れ合いの西村光夫のニックネーム）が松戸で暮らすのに家作を探しているんだ」と言うと、早速調べて周辺地図付きの手紙がまもなく届いた。ラヴェンダースティックが一本添えられていた。

手元に残っている最後の手紙である。

二〇一七年六月　ハガキ

ラベンダー通り（私が尽力した）のラベンダーが匂いたってきました。「オリーブの家」のバザーで、こんな形で五〇円で売ってみようと思ってます。本当はきれいな市松模様になります。わたしのはリハビリ代わりです。匂いと虫除けがウリです。

生き物の軌跡を追体験しているようです。この前まで、原始人はこうやって知恵をつけてきたんだなと思っていました。いまはもっとさかのぼってカンブリア紀の生き物が多様化していく様が自分の中にあって、感動しているというか、ワクワクしています。

お元気で。

彼女は、秋にはカートでなく高価そうなシニアカーで現れた。でこぼこの狭い歩道をグイグイ運転していく。私はついて行けなくて、また笑われた。栗山の坂はかなりきつい。シニアカーは時速四キロくらい出るそうだ。でも、私はそれにかなわない。「うめさん、遅いねー」。

今回は緑地に入らず、回向院別院の二階のカフェに直行した。

この二回の長時間おしゃべりで、彼女が何度も目に力を入れて強調していたのは「覚悟が大事」。きっかけは脳梗塞後、K病院からリハビリ病院へ移ったときだった。病棟の「女子会」に救われ、おしゃべりに加わったとき。

いずれはこの病院も出なくてはならない、どうするか。七〇代の人たちはあれこれ迷い、愚痴をこぼしていた。しかし、九〇歳近い二人の女性は違った。一人は老人ホームへ入ると言う。もう一人は、そんなに仲が良いわけではないけど息子の家に同居すると言う。「だって、それしかなさそうだから。覚悟してしまえば何でも受け入れられる」と。

リハビリ病院を出て、鶴丸さんは自宅に戻った。夫と息子と姑との四人家族である。初めは後遺症が重く家族が身の回りの世話をしていた。じきに鶴丸さんは自分でやろうと決める。食事は減塩・高たんぱく・低脂肪などの病人食を冷凍で配送してくれる弁当にした。残りは翌日に食べる。

味の薄い冷凍弁当かぁ。そうまでするか……そうまでしないと自分の自立は保てない、と判断したのだろう。洗濯も手で洗った。そして、麻痺が残った身体で、通りすがりの子どもにヘンな目で見られ屈辱を感じたものの、毎日畑に通った。すべて、リハビリであり、自分の身体の変化を楽しむためだった。それも「覚悟」があれば何でもない。「いい？うめちゃん、覚悟なのよ、覚悟！」

目に力を込めて何度も繰り返す。

そうか。そうだな。覚悟は自分がするもの。受け身ではできない。

それから、直接には会っていない。電話では語り合った。石牟礼道子さんに夢中になっていた。おそらく、身体性の受け止め方に惹かれたのだろう。大きな『石牟礼道子全集』二巻を郵便で送ってくれた。

翌二〇一八年八月、私のガラケーにメールが入っていた。娘さんからだった。「昨夜亡くなりました」と。私は夕方、診療後すぐに重い全集を抱えて、矢切に向かった。

この本は鶴丸さんに返さなきゃ、ただそれだけを強く思っていた。

聞けば、数日前から腹痛と嘔吐があり、昨夜病院に行ったところ腸閉塞を疑われ、開腹した。しかし、血管がボロボロになっていて手術できないと。その後急変した。それでも最後に「バイバイ」と言ったそうだ。私は初対面のご夫君に挨拶した。彼はまず「頑固なヤツで」とおっしゃる。しょうがないな、というニュアンスの中で「大学一年で出会ってそれ以来ずっとなんです」と関係の深さを伝えてくださった。

私は私で、彼女の血管が弱っていたと聞いて、三〇年以上の長いリウマチ歴を思った。さまざまな治療を続けながら生活はできていても、体内では組織が悲鳴をあげていたのだろう。身体中で戦ってきていた。精神はそれ以上に戦ってきた。

その年、一二月に私は連れ合いの西村光夫の介護のため、診療所を閉じた。そして二〇一九年四月、千葉市に転居する直前、あの里見緑地を一人で訪れた。まさに春爛漫の二年前の風景そのものだった。あのときには鶴丸さんが行けなかった江戸川の川っぷちまで行ってみた。流れを見つめながら今までの会話を反芻していた。
鶴丸さんが投げかけた多くの問いに応えられていない私。
でも、「覚悟」は忘れない。絶対に。

第二章　学校・医療・介護の現実

1　この世を生きる見通しがあるか？

第一章で紹介した鶴丸幸代さんの「三つの特別について」を私なりに受け止めたい。介護・医療・教育、それらの制度や実態は私自身にも大きな壁のように感じられ、距離をどうとるか、右往左往してきたからだ。また一方、医療については医師であって権力を持つ側である。さらに教育にも介護にも、自分が当事者になったときに医師である自分は、他の人たちよりストレスが少なかったかもしれない。つまり、立場上尊重され、好きなように発言できているのかもしれない。

自分が当事者になったときに、〝他の人たちより恵まれているかもしれない〟というムズムズした感触を抱きながら、それでも鶴丸さんの問題提起に共感している。歯切れが悪いのはそんなわけがある。

そして、もっと大切なことがある。私たちは制度を批判していると同時に、というより制度以上に必要としていることは、彼女の言う「この世を生きる見通し、希望、活力みたいなもの」である。それは私たちが年を取り、病を抱えているからではない。赤ちゃんにも子どもたちにも若い人たちにも、すべての人にとって必要なものである。今、それがないがしろにされている、そのことこそが「大問題」だ。

2　学校、幼稚園、保育園

(1) 集団生活

学校、その前の保育園・幼稚園を含めると子どもたちの集団生活、ということになる。

私が出産・育児をした一九七〇年代は、産前産後休暇が公務員でもやっと一六週で、私の場合も長女は一歳半まで両親に見てもらっていたが、下三人は産休明け八週から保育してくれる場を探した。七四年生まれの次女は、勤めていた病院で以前働いていた看護師さんにお願いし（いわゆる保育ママ）、長男、次男は新潟県の町立大和病院（当時）のはからいで院内に託児所を作ってもらい、町立の保育所に入れる（一歳だったたか）まで過ごした。

赤ちゃん時代はまあよかった。食べて遊んで眠って、日中の生活の殆どを保育者の方々にお願いしていた。しかし幼児になりクセも出て自己主張するようになると、〝てこずる〟場面が増えてくる。親たちの集まりでも「登園を嫌がるときにどうしたらよいか」は必ず出てくる話題だ。仕事をしている親たちは時間の余裕がない。ぐずぐずと身支度や朝食に時間がかかった上に、いざ出かけるというときに駄々をこねられたら「怒！」である。しかし、怒っても、良いことはなんにもないから「まあまあ」と意味のないなだめを繰り返し、車に乗せ、保育所の玄関へ。タイミングよく「あらーおはよう！」と声をかけ、抱き取ってくれる保母さんがいればラッキー。彼は急に気分が変わり園の中に入っていく。

というような経験をイヤというほど繰り返した。それでも身体が軽いから無理にでも連れていけるし、子ども自身も、もう少し寝ていたいなとか、好きな遊びをしたかったのに、という程度の拒否理由が多いから結局は毎日通う。朝のぐずりはあまり深刻な問題ではない。

ただ、殆どの子は素直に準備して登園し、先に来ている子どもたちに合流する。なぜウチの子だけ？　と悩み始めると、親のしつけのせいだとか、こんなに嫌がっているのに私が仕事を続けていいのか？　など自信が無くなってくる。私は「こういう子もいる、いて当たり前、親のせいじゃない、そのうち慣れる」と、自分をなだめてきた。特に我が長男は一人で勝手に遊んでいたいし、保育所にいてもみんなと同じ行動をとりたがらない。行事を見学しにいくと、びっくり。劇でも運動会でも自分の番になると「なんでやらなきゃならない?」と止まってしまう。すると先生たちは「あーS君はいいよ、いいよ」と受け入れてくださる。どうやら想定内らしい。息子は悪いお手本だった。同時にあんな風でも登園はする良いお手本でもあった。(こうして原稿を書くのにも役に立っている。感謝!)。

(2) 発達のチェック

しかし、乳幼児期は問題なし、とばかりは言えない。

全国の自治体で行われている一歳半健診、三歳児健診、そして多くは医療機関で行われている乳児健診。それらは、発育・発達のチェックと親の相談機能を兼ねた健診であり、母子手帳発行から始まる育児支援の流れである。核家族(これも死語?)にとって子育てを家族だけでやりきるのは難しい。健診が相談の場として機能するのは望ましいと思う。

その一方、これらは行政から見れば「遅れのチェック」でもある。障害の早期発見・早期治療は一九七〇年代に強調され、主に脳性麻痺の子のためのリハビリ施設も増えた。しかし、一時言われたほどの治療効果はなく、今は、むしろ障害の種類や程度によって分類し、それぞれの処遇を決めていく、その初めのきっかけとなっている。近年はそれに加えて「虐待」の早期発見の場ともなっている。とは言え、実際の乳幼児健診は集団で行われ、記入された相談表を見ながら保健師・医師が子どもの身体を診て、親の話を聞く。そう時間がかけられるわけではなく、要注意とされた子どもに後から保健師が自宅訪問などのフォローをしている。

ここでよく保健師と話題になるのが「ここへ来ない親子が問題を抱えている」、その人たちにどう出会うか。健診の連絡が行くのは、その自治体に住所があり母子手帳を受け取っている家族である。近年、望まない妊娠の結果、子どもを育てられない母親（父親の責任は?）のニュースを見ると、母子手帳も持っていない例がある。それはそうだ、妊娠を隠さなければならないから。本当に助けや仲間が必要な人は近所からも行政からも見えないところにいる。

また、言葉や歩きが他の子たちより遅い、というのは親の方が先に気づき、不安をもって健診に来る。専門病院や療養施設への紹介よりも、まずこの不安にどう応えるのか、それが希薄だと、健診でかえって不安になってしまう。療養施設を紹介されたけれど普通の幼稚園は無理なんでしょうか？　と私の所に来る人がいた。小さな子どもたちは言葉も動作も周りの大人のマネをして、身につけていく。もっと影響が大きいのは周りの子どもたちだ。いろいろな子どもたちがいる場で育てたい、と考える親は多い。

以前は、発達が遅いか早いかが、主なチェックポイントだった。四〇年くらい前だろうか、自閉症が社会問題になった。親の抱きしめ方が足りないのだとか、諸説があった。そのうち、自閉症だけど知能は高い、これは別の病気か？　やればできるのに集中できない、この子は？　理解はしているのに文字が読めない。などなど、発達障害という病名があらたに登場し、細かく「仕分け」され、レッテルを貼られていく。他の子どもたちと違う部分が強調されかねない。

「みんな違って、みんないい」は、歌だけの世界か？

子どもたちが集団で暮らす意味は、単に「メンドウを見る人がいない、保育に欠けた状態」だから、だけではないと私は思っている。大人にはできない、想像もつかない影響をお互いにやりとりしているのではないか。少し前には地域のガキ大将が必要なんだ、と言われた。現在、外に出ても子どもたちがゴチャゴチャと遊んでいる気配はどこにもない。それで余計に保育園・幼稚園に頼らざるを得ないのだが、そこで遅いとか早いとかの評価が入ってしまってはたまらない。元気に遊んでいるのに落ち着きがないのはＡＤＨＤ（注意欠如・多動症）？　さまざまに子どもたちは見られ評価をされる。

しかし、子どもたちの育ちに必要なことは、何だろう。

大人が忘れているのは戦争や災害だけではない。自分が幼かったときのこと。そのときの自分の感情。それも忘れてはならない。（と、ある母親に言ったら、先生、時代が違いますよ、と返された）。どう時代が違うのだろう？　小さな子の持つ伸びゆく力も違うのだろうか。

(3) 就学時の振り分け

そして、義務教育の始まり、小学校への入り口に就学時健診がある。就学時健診は各市町村の教育委員会の仕事で、個別に相談に応じる場合もあるが、以前は就学指導委員会があり、千葉県松戸市の場合、親子を委員会の場に呼んで様子を聞いたり、質問をして振り分けの「判定」を下していた。隣の市では教育委員会が保護者の意思を聞かずに一方的に「お宅のお子さんは特殊学級が適当です」などと通知していた。ダウン症の子どもがいた知人はこれを嫌って松戸に引っ越してきた。

私が、病院の中で診療しているだけではダメだ、と思ったきっかけも、この就学時の振り分けだった。研修を終えて勤務していた東京西部の公立病院で、来年は小学校という患者さん親子に「良かったね」と言ったら、「それが特殊学級に行くよう言われたんです」、と悲しんでいた。思ってもみなかった事態に、何か言いたかった。市に対して何か言わなくては、と思った。でもその時は新米の勤務医だったため躊躇してしまった。病院の外に出なければ親子との関わりは限定的になってしまう。当時、「地域医療」という概念が医療関係者の間で盛んになっていた。私達夫婦もその流れで新潟に移った。

そのあと、全国で「障害児も地域の学校へ」という活動が盛んになっていった。一九七九年養護学校義務化という制度の変化とともに、それまで在宅、あるいは施設にいた重度の子どもたちに学校へ通うよう促したのである。同時に、普通学校に通っていた軽度の障害児には「程度に応じて」養護学校か、特殊学級（のちに特別支援学校と特別支援学級）への振り分けが進んだ。四〇年以上前のことだが、近年その傾向はより強化されている。

新潟から関東に戻ってきて、まず障害児の親の会主催の講演会に参加した。それから東葛地区（松戸・柏・流山・我孫子など）で障害があっても地域の学校へ通わせたい、と願う人たちと「松戸共に育つ会」を作った。学校の先生にも同じ考えを持つ人たちがいた。養護学校を卒業した若者が親から自立してアパートで支援者とともに暮らすことを選び、地域に出ていこうとしていた。前述した鶴丸さんが共感した五十嵐さんの考えと重なっていると思う。

同時に、私は一九八三年の開業以来、二〇一八年に閉院するまで、肢体不自由児養護学校に校医として勤務した。養護学校は県立なので通学範囲は広い。当時、松戸市には肢体不自由児と、知的障害児と、二つの養護学校があった。小一から高三まで一二年間同じ学校で学ぶ。在校生は約一〇〇名。初めて学校に行ったとき、玄関にその約一〇〇台の車椅子が並んでいた。これは何？　ちょっと驚くような光景だった。もしも、街なかに交じっていればこんな違和感はなかっただろう。通学時はスクールバスがいくつかのポイントで子どもを乗せてくる。親はそのポイントまで子どもを連れていくか、自分の車で送迎する。

つまり、近所に養護学校があるのに普通学校に通っている子どもの目には触れない。いつだったか交差点で養護学校の名前が書かれた送迎バスがゆっくり曲がるとき、そこにいた小学生が馬鹿にしたように何か叫んでいたのを目にした。

分けられた結果、お互いにその存在を知らないだけでなく、レッテルの通りに理解してしまうのだろう。でも、もし、障害のある子が家族にいたら？

子どもの数が減り続けて久しい。にもかかわらず、支援学校の生徒は減っていない。支援学校も支援学級も数や種類が増えている。増えたのは殆ど情緒障害児や発達障害児と言われる子どもたちだ。私たちは普通学級を念頭に教育を論じている。しかし、それは「普通」でなく、障害児を選別した後の子どもの集まりである。

（4）登校を嫌がる

では、普通学校ではどんな変化があるだろう。八〇年代、不登校のはしりともいえる子どもの抵抗が表に出てきた。私も鶴丸さんもその当事者である。保育所で好きなように過ごしていた長男は小学校も嫌がる。といってもそれは週に一、二度くらいで翌日は行くのだが、それも殆んど遅刻なので、朝自習とか朝の会など私たち世代が経験しなかった細かいスケジュールにはついていけない。週一でも年間欠席日数は三〇日を超える。それは学校的には準長期欠席で、五〇日を超えれば長期欠席者であるらしい。担任の先生にとっては頭が重い。報告書類もあるし、自分のクラスに長欠児童がいるのは不名誉らしい。学校に来てくれないと私が困ります！　お母さん、あなたの教育方針を変えてください！　三九人がやっているのにこの子だけやらないのはわがままです！（母子家庭だからか）父親の力が無いからです！　まあ、ずいぶんと言われた。「しょうがないじゃん」と言うしかない。私もずいぶん登校を促した。でも、小学生を無理に連れて行くのは不可能だし、行っても中に入らずに帰ってきたこともある。何が原因かって、本人もわからない。問いただしても「明日は行くよ」……。

それでも長男は小学校では当時流行りはじめたファミコンを中心に友だちと遊んだり、友人と家に泊まりっこしたり、人との関わりはあった。

(5) 中学生活

中学に入ると、そのサボりがちな子どもの位置は一変する。

制服はジャージーや靴、鞄にも及び、学校によっては持ち物検査がある。勝手にジャージーの袖をまくっていたというだけで叱られたりする。もちろん髪型も問題になる。

勉強も定期試験の成績がすべての子に順位をつけて通知される。小学生まではなんとなく、アイツ頭いいなとか、漢字も書けないなど、お互いに評価していても数字にはなっていない。でも中学では一学年全体の数字が出る。二三五人中、あなたは一五八番です、というように。通知表があるんだからこんなにしなくても、と漠然と思っていたが、本人にはショックだろう。スポーツが好きな子は早速運動部に入り、朝練や土日の部活もこなしていく。さほど好きでない子も、運動部が当たり前という雰囲気の中で部活に励む。

そういう空気に息子はとてもついて行けなかった。結局一学期の中間テストを境にピタッと行かなくなった。同級生ではないけど、他の中学生に聞いてみたことがある。

「クラスによく休む子がいたらどう思う?」

「僕たちだって我慢しているのに、休むなんてずるいよ」

ずるい、とは予想外の答えだったが、ともかく生徒の視線も厳しくなる。先生は何とか登校してほしいと工夫してくださるが、小学生のときのようにはいかない。

結局、息子は卒業まで行かなかった。その頃、幼稚園の親の集まりがあり、登園を渋る子の話になった。それで息子が学校へ行っていないと話したところ、「先生、よくそんなことを人前で言えますね」と言われた。何？　話してはいけない一家の恥か？　恥かも知れないけど、お互いに困っていることを出し合うのは信頼関係を作るのに必要ではないか？

不登校は今よりずっと少数だったけれど、親に問題がある、とされていたので、誰にも言わない人は確かに多かった。親戚にも恥である。同級生の親にも恥である。私のところに相談にみえたお母さんは夫にも隠していた。夫は朝、子どもより先に出勤し、夜は子どもが寝た後帰宅する。家事も育児も妻任せ。子どもに何かあれば「いつもみているお前は何やってんだ！」で済む。子どもが学校に行っていなくても父親は気づかない。無論多くの男性は企業的価値観に捉われているから不登校はまったく理解できない。こんなことでどうするんだ！　しかない。どうして行きたくないんだろう？　とは一ミリも考えない。私は小学校のときのような不毛な会話をしたくなくて、中学の先生には「私は学校に対して何も注文はつけません。だから先生も黙って見ていてください」とお願いした。無論切り口上でなく、穏やかに、にこやかに。

で、学校を休んでどうするか。同じ頃、息子と同学年の女生徒が玄関までは出るんだけど、登校できずリストカットを繰り返し、精神科を受診した。私の得た教訓は「本人を追い込んではいけない」である。この中学に行けないのなら他を考えよう。高校と違って小中学校の義務教育の間は学校か家か、しかない。でも孤立もまずい。

長男は部屋から出ないから、ときどき知り合いに、数学だけでもと理由をつけて教えてもらいながら雑談をしてもらった。麻雀ができるようになった。次男もときどき休むが家にいても面白くない。それであとで触れる「ユーズリサイクルセンター」のメンバーに仕事に連れ出してもらった。引っ越しや、清掃の便利屋である。鶴丸さんも息子さんを連れてユーズに来た時期があった。こんな風に学校から逃げた子どもの行先は、地域の人たちであった。長男にその頃話題になっていた「東京シューレ」（不登校児のために親が作ったフリースクール）の新聞記事を見せて「こういう自由な学校もあるけど？」と聞いてみた。「そんなとこ行くんならT中（在籍している公立中）に行くよ」。「はい、そうですね」。

こんなふうに距離をおきながら彼は中学を卒業し、通信制高校に通い、なんとか仕事にもついている。不登校でもお先真っ暗じゃないよー。

私が恥ずかしげもなく息子の不登校についてあちこちでしゃべったせいか、私の医院で診療の折、不登校の相談はかなりあった。それぞれ、家族の状況も、学校との関係も、それから不登校への対応も違う。共通しているのは将来への不安であり、恐怖だ。中学に行けなくても卒業はできる。卒業すれば行先は広がる。私はそう言って、無理な登校強制や本人を責めて精神的に追い詰めるのを防ごうとした。当時は少なかったサポート校も通信制高校もその後急速に数を増やし、公立の不登校児のためのクラスもある。選択の幅は広がっている。

でも、そもそも学校がもっと行きやすければ不登校にならずに済んだのに。鶴丸さんの指摘通りである。

(6) 管理教育

障害児を選別して別の学校へ通わせるのと、不登校の子を生むのは共通の原因がある。つまり学校教育の目的が、より生産性の高い子どもを育てることであり、そのためにはレールからはずれないよう、管理しなければならない。子どもたちは勉強するだけでなく校則も守らなくてはならない。その校則が、前髪は眉にかかってはならないだの、紫色の文房具はダメだの、唖然とするようなアホなものでも、「規則は規則」だった。いまだに「私の髪の毛がちょっと赤いのは生まれつきです」と証明しなければならない学校があると聞いて、愕然とする。学校側がこの生徒はルールからはずれている、と判断すれば生徒たちも、そうだそうだと同調する。子どもにとってはそれが安全だから。

かくして、管理強化は同調圧力を生み、いじめはいじめとして認識されない。だって、アイツがわるいんだよ。オレたちじゃない。

西の愛知・東の千葉、と横綱みたいに有名だった管理教育。その只中の八〇年代、生徒たちが反抗した校内暴力。テレビでは、「金八先生」の時代である。私たちの子どもはその時期に学校に行き始めた。新潟から千葉に移ってきた私は体操服に名前を書いたゼッケンを縫い付けるだけでも驚いた。「だって、先生はこの子の名前、知ってるじゃない？」「いや、学校外で悪さをしないように、さ」「え！？　子どもって目を光らせておかないと悪さをするの？」

教育は性悪説に基づいているのか……ドイツで初めてサッカーのコーチをしたイギリス人を描いた映画に「教育とは規律と服従である」という場面があった。そういえば日本の近代教育のお手本はドイツだと聞いたことがある。戦後の学校教育は自由をはき違えている、だからもっと厳しくしなければならない、そんな風な、ずいぶん前からの流れが今も続いている。

この数年、体罰禁止、パワハラ禁止に加えて制服の自由化や校則の見直しが度々報道されている。それはそれとして歓迎したい。同時に、その結果子どもたちはどうなったのかが気になる。生き生きとしたのか、希望が持てるのか、いじめが減ったのか……。

どうやら、不登校は減っていないようだ。

3　医療

では、医療はどうだろう。鶴丸さんがK病院で経験したことは例外で、運が悪かっただけだろうか。おそらく、多くの人が病気になって受診したときに、これに似た経験をしているのではないだろうか。患者が疑問に思って聞いてもまともに答えてくれない、近年では医師はパソコンの画面ばかりをみて患者の顔を見ない、病歴を聞いたり診察をすることなしに検査のオーダーだけ出して、次の受診では検査結果の説明で終わる、鶴丸さんの言う「若い先生は数字がお好き」というわけだ。

日本の医療の長所は基本的には誰でもどこでも、健康保険で安く受診できる国民皆保険制度である。私も初めはそう思っていた。しかし、健保財政の赤字などが原因で、保険料の値上げ、自己負担比率の上昇、自費分の追加などなど「医療費は思ったより高い」と感じられるようになってきた。しかし、そうした制度の問題はここでの趣旨ではないので触れない。というか、触れるような力が私には無い。

鶴丸さんが言いたかったのは、相手が病人で、理解力も低いから、説明しても分からないだろうと決めつけている医師・看護師などスタッフへの怒りである。病気をしているのは私よ！　と。かつてはインフォームドコンセントと言われ、今やそんなこと言わなくても医師が紙を出して病気の説明、検査の説明、そして治療の説明を、画像を見せながら行って「はい、ではここにサインしてください」。入院が必要なら「では家族の方のサインも」となる。きちんと説明している、とおおかたの病院は言うだろう。しかし、よどみなく説明されては頭脳明晰な人でも「あれ？」と内心腑に落ちず、家に帰って〝グーグル先生〟に聞いて確かめる。相手がどこまで分かっているのか確かめながら話し、質問にも答えるという土壌はいまだに不十分だ。また、どうせ聞いても分からないから、と医者任せの人は多いし、信頼しているのならよいが諦めも感じられる。

自分のことなんだから、ちゃんと説明してほしい、その上で自分で決めたい。がんのような命に関わる病気については医療者も慎重に病名の告知と説明をするようになり、それでも迷っている人にはセカンドオピニオンを勧めている。専門病院には相談コーナーもある。しかし、それ以外ではどうだろうか。

そもそも、病気や薬の説明以前に、具合はどうですか？　という基本の質問さえ、本人でなく連れてきた家族にする場合がある。子どもや老人が患者の場合だ。

小児科での診療風景といえば、母親、たまに父親が小さな子を抱いている。どうしました？　ゆうべから熱が下がらないんです。フムフムと聴診器をあて、喉を「あ〜ん」と開けさせて、赤いですね。本人はじっと固くなっていたり、ギャンギャン泣いていたり……。それが小学生になっても、やはり親に聞く。どうしました？　それで学校はどうしましょう？　医師と親で決めていく。ある子は「僕の頭の上で話が交わされている」と言っていた。私は開業してから小学生以上にはなるべく親の話の前に本人に聞いてみるようにした。

「いつから、どこが、どんなふうなの？」。

「えーっと、風邪とハナ」「咳と鼻水？」「そうそう」

なるほど、コホンと咳をすると親が「あ、風邪だ」と言うからかな〜。

早退した子が迎えに来た親とやってくる。

「どうしたの？」

「三時間目に熱が出た」

「その前に何かあった？」

「うん、ゆうべから頭が痛かったです」。すると親が、

「あんた、朝言わなかったじゃない！」

「言っても聞いてくれないじゃん」

などなど、ささやかでも面白い発見がある。

そもそも医師は患者さんからの訴えで病名を考えていくのだから、あれこれ本人に聞く必要があるし、そのおかげで医学書では学べない現実の病気を学び、経過を知る。さらには仕事の忙しさや、家族の中の出来事もからんでくる例もある。会話が乏しくなっているのを、検査で補えるわけではない。

近代医学への批判は、こうした経験から生じる場合がある。医師との信頼関係ができないから不安になり、薬の副作用も気になる。もっと別の安全で確かな治療を求めたくなる。

いずれにしろ、健康でありたいという願いは当然皆が持っているのだが、では、どうい

う状態を健康と呼ぶのか。どこから病気になるのか？　近年は健康診断がごく当たり前の生活の一部になっていて、いわゆる「会社の健診」という健保組合の事業としてなかば義務、あるいは年中行事として意識されている。そこでコレステロール値が高い、など自覚症状はないけれど「要精検」「要治療」として、医療の場に送られる。大分前のことになるが、ある教師が毎年レントゲンを撮られるのはイヤだ、と検査を拒否したら問題になった。受ける権利から受ける義務へと、集団検診も変わってきている。

少し前に「メタボ健診」が話題になった。腹囲を必須条件にしたので「要治療」が激増したのである。メタボは日常会話にも登場したが今はどうなんだろう。血圧の正常値も狭くすれば、それだけ「病人」は増える。つまり、制度は制度だから、どこかで数字で健康と病気を分けている。その境目には政治や経済の思惑が働いているようだ。それでも、そうと決まれば実施されるのが制度であり、運用なのだと考えるとやはり「それにからめ捕られてはならない」。

では、当事者はどう考えたらいいのか。

自分にとっての健康。こんなことを書いていると、「それどこじゃねーよ」と運転手をしている息子の声が聞こえてきそうだ。そう、健康診断が広く行われても、高血圧や高血糖を指摘されても、じゃぁ、すぐに病院に行けるか？　その時間があるのか？　また、ゆっくり休みましょう、と医師に言われて、ハイ、と休めるのか？

生活習慣病という名前が浸透して、あたかも「その人の生活に問題がある」かのようだ。あちこちで悲鳴をあげている過労状態の人たち、具合が悪くても医者にかかる時間がない、自己負担分が払えない、そもそも国保に入っていない、そうした現実と、健康増進キャンペーンは同一の場で取り上げられなければならない、と思う。

昨年（二〇二一年）、長年の友人高橋姿子《しなこ》さんが転移性乳がんで亡くなった。彼女は八七年に私が書いた『子育ての輪』（ユック舎）の編集者で、それ以来のつき合いである。二〇一六年に乳がんと診断された時から闘病記を「あめつうしん」というガリ版印刷の冊子に連載し、同じ状況にある人々にメッセージを送り続けた。フリーライターとして働いてきたので、そもそも六〇歳近くになると仕事が減る。闘病のため、つまり抗がん剤治療のため体力が落ちるのは目に見えていたが、家賃の安いところに転居し、ヘルパーをはじめ派遣労働もした。再発してそれも難しくなり、認知症が始まった母親を引き取り親の年金でやりくりした。そのために使えそうな制度を調べ、母親の介護サービスを使いながら自分の傷病手当の交渉もした。勿論高額医療の手続きも。

どこでどのような治療をするか、彼女はセカンドオピニオンも受け、がん専門家の講演を聞き……自分の病気を受け止め、できることを最大限追求した。誰もができることではない。通院だけでなく役所回りも含めてエネルギーを費やした。たった一人で。そして、有効な治療が無くなったとき、緩和ケア病棟に移った。コロナで面会できない時期に重なり、それでも友人の尽力と本人の強い意志で亡くなる直前に友人たちと面会もできた。あっぱれ、である。

自分のことを自分で決めた。そのために、どんなことでもやった。彼女のその意志の強さも私にとって大きな贈り物である。

病気からは誰も逃げられない。ある日、天から小石が落ちてきて頭に当たる。何が悪かったわけではない。私は連れ合いが認知症になり、程なくして自分が骨髄異形成症候群とやらになったとき、そう実感した。それはそれで仕方がない、と。

で、どういう治療をどこで受けるか。彼の認知症は内服薬などの治療は受けないことにした。自分の病気は専門医に任せることにした。近くの病院にした。そうできたのはラッキーだったと言える。ただし、高齢の友人たちは皆同じように通院だけでも一人ではできないし、車椅子の場合だと家族が一人付き添ってもそれだけでは足りない場面が多い。制度や家族では足りない。そこをどうするか。それが、友人を含む「地域」の力なのではないか。

死を迎えるまで病気は続く。その間をどう生きるか。希望とは長く生き延びることではなく、死までをいかに豊かに、自分の意志を活かして過ごせるかにある。

4　介護

(1) 個人的認知症介護体験

介護も病気のときと同じように急にわが身に降ってきた。そうならそうで仕方がない。引き受けるしかない。

それは自分にとっては未知の世界だけれど、大勢の人がやっていることだと、初めに腹をくくった。

連れ合いの西村光夫は、二十年ほど働いていたNPO法人日本ファイバーリサイクル連帯協議会（JFSA）を二〇一四年秋、六五歳で退職し、千葉市にあるその事務所の近くに住んでいた。それから数年して、忘れることが増えてきた。待ち合わせの時間に来ない、確かめの電話が何度もかかってくる。いつもと違うところに行くと道に迷う。

「どういう感じで忘れているの？」

「なんか、つながっていないんだ。ブチブチ切れている」

「じゃぁ、思い出そうとしても無理？」

特に道路は以前から風景で覚えていた。ナビもない中古の車だし、地図を見ながら走る習慣もない。道に迷うと頭の中で必死に記憶している道路と道路をつなげようとしている。

「つながらない、つながらない」とつぶやきながら。

その頃、彼は一人で南九州の友人に会うことになった。千葉駅から羽田までの高速バスに乗る。それまでに何度も経験している。しかし、高速のバス停は駅前のバスロータリーではなく、ちょっと離れたところにある。大丈夫かな？　と自分でも心配になって前の日に場所を確かめることにした。助手席に乗った私が、あっちじゃない？　と言っても、いや、こっちのはずだ、と言いながら運転して、やはり別の所で曲がってしまう。

「あのさー、ごんべえ（西村のニックネーム）は忘れてるでしょ？　私は覚えている。だから私の言うとおりにしたら？」……しばらく黙ってから、

「おぬしはヘルパーに向かないなぁ」と、ぼそり。

そうなのだ。正しい（と周囲が思っている）ことを教えても仕方がない。もちろん間違っていると指摘しても仕方がない。彼にこの病気の始まった頃、私も何冊か医学的な本を読んだ。グーグルもぐるぐると見た。患者家族の書いた本も読んだ。それでも何かしっくりこない。殆どの記述に共通しているのは、根底に「認知症は困る」という価値観があることだった（その点、有吉佐和子の『恍惚の人』は違う）。私はそこに反発した。「認知症で何が悪いの？」と。

これは私が考えた言葉でなく、新聞の記事で見つけた言葉だ。ある男性が自分の物忘れを自覚して病院に行ったところ「認知症の始まりですね」と告げられ、すっかり落ち込ん

でしまった。それでも勇気を出して、親しい友人に認知症だと言われたことを打ち明けたら、「それがどうした?」との返事が返ってきて、本当に気持ちが晴れたという内容だった。私も、〝そうだ、これだ!〟と目からウロコが落ち、ついでに涙がにじんできた。

そして、ずっと昔、脳性麻痺の人たちが「青い芝の会」を作って「障害者で何が悪い?」と訴えたのを鮮やかに思い出した。正確にはこういう言葉ではなかったかもしれないが、当時それを聞いたときに受けた衝撃は覚えている。差別反対よりもずっと当事者の気持ちが表れている。気の毒だから親切にしよう、という優しさなど木端微塵《こっぱみじん》に吹き飛んでしまう。「どの子も地域の学校へ」という運動も「青い芝」から影響を受けた人々の流れがあった。認知症で何が悪い、と開き直らなければ受け入れたことにはならない。それくらい認知症への固定観念は強固である。

二〇一七年初め頃から、西村の記憶障害が目立ちはじめてきた。自分でも忘れやすいのを自覚して、メモをとりはじめたのだが、家に行ってみると、部屋中にメモ用紙が散らかっている。同じものが三枚あったりする。「明日はゴミ出し」とか「自動車保険支払い」などなど。

その頃から私も認知症について調べはじめた。六五歳以上の五人に一人が認知症になり、そのうち五、六割がアルツハイマー病だという。

西村も忘れやすいのが目立ったので、アルツハイマー病をまず疑った。アルツハイマーの中核症状は記憶障害で、怒りっぽい暴言暴行為、徘徊などを周辺症状という。

中核症状の進行はやむを得ないが、周辺症状は、周囲の人々が本人をどう受け入れるかでかなり変わるとされている。

アルツハイマーは本人も周りも困る、と決めつけられているのは、この周辺症状を指すのだろう。

私はそれで「まず受け入れよう」と考えた。そして、忘れることも非難するまい、と腹をくくった。神経内科を受診することも考えないではなかったが病気扱いをするのは嫌だったので、結局受診せず、アリセプトなどの内服薬も飲ませなかった。

二〇一八年には忘れ方がひどくなり私は医院を閉じて介護に専念しようと決めた。

二〇一九年四月から同居してわかったのだが、寝言を言いながら起き上がったり、ゴミを虫だと言い張ったり、カーテンの隅に猫がいるなどと、幻覚も時々あった。レビー小体型認知症の症状である。あとから思えば、歩行障害が早く出現したのもそのためだったかもしれない。合併例があるのかもしれないが、効果的な薬はないので結果は同じだったと思う。

ともあれ、近年は否定的な捉え方はかえって認知症を悪化させる、ありのままを受け入れよう、という考えが広がってきて当事者や家族には良い傾向だとは思うが、まだまだ一般的ではない。高齢者に関わっている人の話を聞いても、例えば骨折で入院したとして「あの人、認知入ってしまったんですよね」と気軽に言う。にんちはいった、だから何か言っても無駄というニュアンスである。

ともかく、当事者への敬意は感じられない。一段低い所に降ろされた感じ。ある意味、精神病への偏見と共通するものを感じる。それでは家族だって大変大変と愚痴を言うしかない。介護、というか一緒に暮らしていく私のスタートは「認知症は悪くない」だった。それを、たまたま誘われた認知症カフェで言ってみた。すると何年も姑を介護してきた女性に「まだ三年でしょ。これからですよ」とかわされ、同席していた人たちも頷く。言いたいことがうまく伝わらなかった。

もちろん、現実は大変である。私たちの場合ずっと別々に暮らしてきたから、急に同居することと自体、私は決めたほうだからいいとして決められた側は腑に落ちない。高齢だからという理由であちこち断られたあげくやっと見つけた賃貸マンションだったが、そのいきさつも理解できない。「ワシに言ったか？」と何度も尋ねる。せっかく（こう思うのも悪い）今まで住んでいた場所に近いところを選んだのに、もう次の日には今までの家を忘れている。

認知症の物忘れはきっぱりしている。私たちは財布を忘れたとき、あれこれ思い返してあそこの店では使った、その後どこに寄ったっけ、などとつなげて考えられる。しかし、そのつなげる思考が切られてしまう。やはり、そのまま受け入れるしかない。本人にとってはどうなんだろう。認知症簡易チェックとして使われている長谷川式スコアを開発された長谷川和夫先生が自身が認知症になったとき、「確実なものは一つもない」とおっしゃっていたのが印象的だった。思うに周囲を濃い霧で囲まれて、目の前にあるものだけが、はっきりしているようだ。仲の良い友人が来て楽しく時間を過ごす。おかしな会話はない。で、彼が帰ってすぐに「今日、誰か来たっけ？」。勿論、よく言われるように子ども時代や若い頃の記憶は残っているのだが……。

というような物忘れを受け入れるのはできた。でも、本人は状況がわからないための不安を、いつも抱えている。そのため、自分が被害者になりがちになる。自分に言ってないことがある。自分抜きに何かを決めている。私がパソコンで友人とメールのやりとりをしているのも気に入らない。それでときどきキレる。だから、私はメールをやめた。

風呂に入るのを嫌がる。初めはいろいろ説得すれば入っていたが、それもしなくなる。お風呂、と言っただけで何でだと不機嫌になる。言い合いを続けているうちに私も風呂ごときで何でこんな思いをするんだろうと、つくづく情けなくなる。

先が見えないけれど、現在、目の前に起きていることには必死で対応しなければならない。私のやる気がない、つまりちゃんと向き合っていない、と感じるのも彼の怒りの原因の一つだった。それに対して私が怒ってもだめ。火に油状態なのだ。そういうときは買い物に行く。近くのスーパーの中のイートインで菓子パンをかじり、ふーっとため息。あー、これが介護をしている家族の姿だなぁ、と自分でもおかしくなる。寄り道もしょっちゅう。

幸い私は道端の草が好きだ。名前の分からない草があると、スマホで写真をとり家に帰って図鑑を広げる。公園のベンチでは友人とラインし、特に先述のがんの闘病をしながら母親の介護をしていた友人の高橋姿子さんとは電話に切り替え話し込んだ。主に愚痴のこぼし合いなので家で本人の前では電話ができないから……。

と並べ立てても、勿論それは時々あることで、まだ運転のできた西村と植物園や自然公園によく行った。九十九里海岸にも行った。木々の間をゆっくり歩きながら、なるべく大きな樹を見つけ、真下から梢を見上げる。風景の一部になるのは緊張関係をほぐすのには一番だった。

そうこうするうちに、西村の歩き方がおかしくなってきた。小刻みに歩いては前につんのめりそうになる。小さな石につまずく。だんだん歩く距離が短くなった。そういえば、尿を漏らすこともあった。何だろう、これは。アルツハイマーだとばかり思っていたが違うのか？　一度ＣＴでも撮った方がいいのでは？　と疑いはじめ、糖尿病でかかっている内科の医師に相談し、正常圧水頭症かもしれないからと、脳外科への紹介状を書いていただいた。正常圧水頭症であれば、外科的に髄液を抜くことで症状が軽くなる。

(2) 介護を支える関係

実は、その数か月前の二〇二〇年三月、コロナの流行が始まった頃に、西村はパキスタンに行った。以前職員だったときにカラチで作った水害被災者支援用の銀行口座が、しばらく運用しなかったために凍結されたという。それを解除するには名義人である西村本人が行かなければならない。その理由も経過も、どうしても本人は理解できない。

出発の数か月前からパスポートを取得し直すことに始まり、ひっきりなしに「何でワシが行かなきゃならないんだ」という問いに、JFSAのメンバーも私も「だから……」と、とんがらないように同じ話を繰り返す。JFSAのメンバーだけで連れて行くのは難しそうだ。昔の寺小屋（第三章1参照）のメンバーに相談し、幸い三人が参加してくれることになった。

そして、三月なかば、既にコロナ対策の規制でガラガラになっていた成田空港から無事出発。どうやら現地で任務は果たしたらしい。帰る日の朝、カラチに電話してみた。彼が冗談ぽく何か答えるたびにガハハ、ガハハと周囲の笑い声が聞こえる。私も大声で笑いながら、泣けて泣けて仕方がなかった。嬉しくて泣くのはめったにない。本当にみんなありがとうがとう。求めていたのはこれなんだ！

そのあと、私は千葉市から元の松戸市に戻ろうと決めた。

介護を始めたとき、何人かの人が「一人で抱え込むな」と助言してくれた。専門職の人は介護保険の説明をして上手に利用するよう助言してくれた。そのくらい分かってるよ、と思いながら、いろんな意見を聞いた。でも、現実はちょっと違う。松戸に戻って脳外科を受診したところ、水頭症と断定はできないようだった。それで、ともかく糖尿病の治療は受けようと近所の内科に通った。しかし、歩行障害が進んで五分の距離も歩けなくなる。それで、訪問診療所に申し込んだところ、幸い受け入れてもらえた。二〇二一年の春だった。

そして入れ替わるようにケアマネージャーから電話が来た。あれ？　頼んではいないけど？　おそらく、在宅診療を頼むような患者は要介護だから、という判断なのだろう。ケアマネとは話しやすかったが、彼がデイサービスに行くはずもなく、とりあえずトイレに掴まるための棒だけを立ててもらった。介護認定は要介護2であった。家事援助は私がいるから対象外になる。半年後、もっと手足に力が入らなくなり転倒し、トイレにも間に合わなくなった。秋には介護ベッドにはしたが、起きたり寝たりも一人ではできない。リハビリだけのデイサービスを勧められ、本人も見学に行った。通うことになった初日、私は内心喜んだ。なにしろ彼だけが家を出るのは初めてだ。ところが、というかやはり、一二時までのはずが一一時に電話が鳴る。本人が帰る、と言っている……。その後数回は迎えの車に乗って通ったが結局嫌がってやめた。私も朝出発するための準備や、本人の気持ちをそれに向けるのに、すっかり疲れていた。不登校の子どもを学校へ行かせるようなものだ。

鶴丸さんが指摘した通り、介護保険制度は何をしてくれるのか？　制度を否定しているのではない。制度をどう利用するのか？　制度をよくするにはどうするのか？　さまざまなスタンスがあると思う。けれども目の前の現実、毎日の暮らしのなかで、とりあえず本人にとって最善と考えられる工夫をしていくしかない。

例えば、ベッドの手すりを摑んでもなかなか立ち上がれなくなった、そのときは二人で学生運動でよく歌われる「インターナショナル」の出だし、「起てー飢えたる者ーよ」と歌うと力が入る。たまたま目撃した訪問診療の医師と看護師はキョトンとしている。そんな時、私たちは共通の経験、共通の価値観を持っていて良かったとつくづく思う。また寺小屋のメンバーだった友人が仕事の合間に顔を見せてくれたとき。西村は当時の思い出話（大体武勇伝だが）を何度も飽きずに繰り返しては、楽しそうに笑っている。自分も楽しいし、私が楽しそうにしているのが嬉しいのだ。身の回りのことを全部私がやっているのは分かっていて、「世話になるなー」と時に恐縮しながら、私の機嫌が悪くなるのを恐れているのだった。

そうした、いわば心理的介護を含めた介護は家族や友人にしかできないだろう。介護は勿論家族だけでは無理だが、それを隠すことなく周囲へ助けを求め、地域へ広げていくしかない。その地域に気持ち良く利用できる「社会資本」があればなおいい。

その後彼は、二〇二二年になると車椅子に乗れば外に出られるのにどこにも行きたがらず、寺小屋時代からの友人の車で、床屋や柏の友人宅を訪れるだけになった。嫌がっていたオムツも、一度はいたあとは受け入れた。お風呂は男性ヘルパーが来てからは受け入れて、私も助かったが、その二週後に急変して亡くなった。五月二六日（二〇二二年）、七二歳だった。

おそらく、脳幹部の出血だったのだろう。頃合いといえば頃合いなのだが、夕食を食べ終わり、ベッドに横たわりながら何か話をしていた直後に頭ががくっと垂れて、もう意識がなかった。私は驚愕しながらも心臓マッサージをしつつ訪問診療医に連絡し……。次の日には遺体は葬儀屋に移され、午後にはさっさと介護ベッドが引き取られ……、部屋がいきなり空っぽになってしまった。次の日、いつものように近所のスーパーに買い物に行き、帰りにまた公園に寄ってみた。青い空が広がり、新緑の木々が美しい。ベンチに座って空を見上げながら、あれっ、今日は急いで帰らなくていいんだ、と不意に気づいた。肩の荷が下りた、というより、身体中から力が抜けてしまった。

たった三年余りの介護ではあったが、直面してみなければ分からないことが、いかに多いか。ささやかなことで一緒に笑えると救われたし、例えば排便の失敗の始末など、大変と言われていることはやってみれば何ということはない。それよりも気持ちを通わせるほうがよほどエネルギーを使った。それもこれも、本人に言っても分からない。ただ、受け止めるしかない。

介護者の、そうした内に溜め込んだ気分をほぐしてくれたのは、とにかく聞き手になってくれた友人たち。そして、本人の話し相手になってくれた友人たち。昔の寺小屋のように、自由に誰かしら訪れる場があれば、とつくづく思う。

実際は、それぞれが年をとり病気にもなって、かつてのように自由に行き来できなくなった。でも、動ける人が家を訪ねて一時的でも介護生活の空気に穴をあけていきたい。

5　子産み・子育て

(1) 子どもへの視線

教育、病気、介護と、実体験を中心に振り返ってみたが、そもそも人間の始まりは妊娠・出産である。しかし、生まれる子どもは減っている。多くの少子化の要因を考えると、そのどれをとっても、若い人たちの選択として無理ないように思える一方、その結果の子どもたちの姿に、これでいいの？　仕方がない、それだけ？　と思わざるを得ない。

私が小児科医になった七〇年代初めは団塊の世代が結婚し、子どもを産む時代と重なる。それまでは内科医が子どもも診ているのが普通だったのが、子どもは小児科へ、とシフトして小児科外来は満員だった。新生児医療も急速に変わり、早産・低出生体重児が助かるようになった。

結婚が当たり前、結婚すれば子どもを産むのが当たり前、仕事についていた女性は結婚退職か出産退職かが当たり前であった。そして、女性は子どもが大きくなってから再就職する、就業率のM字カーブの時代である。

その頃の子どもたちの風景と、この三〇年くらい前からの風景がいかに違うか。数が減っただけではなく、子どもへの視線が変わってきたと思う。つまり、子どもの存在の意味が変わってきたように思う。

よく言われるように、子どもは〝授かるもの〟ではなく、〝作るもの〟になってきた。結婚すれば子どもが生まれるもの、という固定観念はあまり変わっていないから、子どもができなければ不妊治療をすることになるし、自然に生まれても一人か二人の子を大切に育てなくてはならない。そして、まだ小さいうちから将来へのレールが敷かれているようだ。なりゆきではなく、計画的に子を産み、育てる。親がさまざまな教育的かかわりをして、良質の子どもを育てる。放任はいけない。

でも、どうなのだろうか。少ない子を大切に育てる、その結果はどうなのだろう？

一人ひとりは、ありのままの姿を大事にされているのだろうか？

子どもたちを大人の価値観で評価するまなざしが強いように私は思ってしまうが。

子どもへの親の視線を、子ども自身はどう感じているのだろうか？

自己肯定感の低い子が多い、というのは本当か？

それは、常に他の子と比較されているからか？

どんな子どもでも「お前はそのままでよい」と、抱きしめて受け止めてくれる大人が、たとえ実の親でなくても必要だと、心から思う。


最近のデータでは年間八〇万人の子どもが生まれている。減り方が激しいのは周知の通りだ。生まれなかった子ども、つまり中絶数は一五万件で近年微減。また、子どもの虐待死は二〇二〇年のデータ（厚生労働省専門委員会）で七七人。心中死二八人、それ以外四九人。年齢は心中以外の四九人中三二人が一歳未満。うち八人は二四時間以内だ。つまり、いわゆる産み落としである。

児童養護施設で育っている一八歳までの子は乳児院と合わせると二万五〇〇〇人前後。戸籍上、実子と同じになる特別養子縁組は二〇二〇年は六九三件で増加傾向にある。

ときどき報道される、妊娠したことを誰にも言えず、隠し通して産み落とした事件を知ると、私は赤ちゃんのこともお母さんのことも不憫で不憫で、老婆の目に涙、である。

父親はどうした？　妊娠を知らずに消えたか？　知っていて逃げたか？

子殺しの罪は昔から母親にのみ、科せられてきた。生物学的にはっきりしているのが母親だけだから、とは言えない。女性はこの子の父親を知っている。でも、女性も周囲も彼の責任を追及しきれないし、従って父親が断罪されることはないか、ごく稀である。

妊娠・出産は女性しかできないし、出産に至るまでの痛みや苦しみを男性がわかるとは思えないし、わからなくていい、と思う。ただ、責任は十二分にとってほしい。二人でいたから子どもができた、という当たり前の事実を認めてほしい。

大事に育てられる子どもと、親に育ててもらえない子。葬られた子ども。仕方がない？　違う。この社会のありようが、この両極を生んでいる。親でなくても、祖父母でなくても、誰かが小さな命を引き受けられないか。それが社会の当たり前、にならないか。

同時に自分の子どもも、成果を期待するのではなく隣の子と同じような目で育てられないか。大事に育てる、という意味が、良い学校に入れる、いろんな習い事をさせる、に偏ってないか？

そういえば、日本にいるパキスタン人たちと電車で出かけたとき、乗り合わせた小さな子に彼らの一人が話しかけた。親はびくっと警戒した様子で子どもの手を引いて遠ざかってしまった。「何故だ？　子どもは社会の子どもなのに」。彼は傷ついて嘆いていた。そう。個人の財産ではないのだ、子どもは。それなのに、日本人同士でも彼のようなことをすれば「不審者」扱いになり、子どもに「知らない人と喋っちゃダメ」と教え、近所づきあいも減っている。子どもたちのはしゃぐ声、泣き声が珍しくなり、静かな町が増えた。あげく児童公園や幼稚園、保育園が迷惑施設と言われてしまうのが現状だ。

この不寛容な社会。

結局、私たち自身が住みにくい社会を作り、子どもたちは自由に走り回れなくなる。大人たちも老いたときに孤独をかこつことになる。

（2）育児を担うのは母親か？

母親が、というか女性が妊娠・出産を担うのは生物としての男女差で、ある意味仕方がないけれど、出産直後から「母性」が求められるのはおかしい。母乳が出ないと母性が足りない、などと私も非難された。第一子を産んだ産院は当時ほとんどの産院がミルクも与えているのに、母乳中心主義でミルクは置いていなかった。私の母乳の出が悪いから娘が泣き止まない。私は寝不足になる。その結果、血圧が上がった。すると退院延期だという。私は「家に帰れば下がります」と強引に退院した。

その後母性の強調は徐々に下火になってきて、育児は、母親だけでなく両親が共同で行うもの、保育園に預けるのも育児放棄ではない、と流れは変わりつつある。では、育児の面でジェンダーギャップはないかというと、そうとは言えない。保育園に預けるのは、両親とも働かないと生活できないから、という理由のほうが、父親も育児をして当然、という理由より強いのではないか。

底流には相変わらずの「男は仕事、女は家庭」という根強い固定観念があるから、女性が仕事も家事・育児の大半も担う。今風に言うならワンオペである。

一九七六年から四年弱、新潟県の魚沼地方の大和町、つまり米と豪雪で有名な所で働いていたときのこと。つい〝裏日本〟などと言って現地の人に怒られたのだが、ここで暮らしたことは大きな価値があった。それこそ太平洋側の地域のことしか知らなかった私には驚くことの連続だった。

そこでは母性の強調というより、男の役割・女の役割があるのだが、それも「イエ」が基準になっている。跡取りの長男はアニ、次男以下はオジと呼び方も違う。長男の嫁は文字通り家の女だ。長男の母親である姑は家の中のことをすべて知り、差配している。

引っ越してまもなく、隣町で子育てのシンポジウムがあり、小児科医として呼ばれた。そこで若いお母さんが訴えていた。当時は祖父母が農業と家事・育児を引き受け、若夫婦は外へ働きにいき、休日に農業をするという家が多かった。訴えていた女性は「夜や日曜は当然私たち夫婦が子どもを見るつもりだったのです。でも、夕食後は私は家畜の世話を言いつけられる、日曜も姑が孫を手放さない、私に抱かせてくれないのです」と。

初めての子が男の子だと姑が育てる、という家は珍しくなかった。二番目の子から母親が一緒に寝る。知り合いの人は、離婚することになって息子を連れて実家に帰ったが、まもなく嫁ぎ先の舅、姑が孫を引き取りに来た。「この子はウチの子だから」と。そして、その後元夫は再婚して新しい嫁が家に入った。

えー、「イエ」って凄い。中味の嫁なんて入れ替わっただけか……。

イエにまつわる話はいろいろあり、子育てにも影響している。それが一概に悪いとは思わなかった。いわゆるおばあさんの知恵にも感心した。村の助け合いも見聞きした。それでも、ここで経験した「イエ」の話は衝撃的であった。もちろん、四〇年以上前の話であるから、いまではかなり変化しているだろうけれど、近頃、夫婦別姓婚や同性婚に対して「家族制度を壊しかねない」と反対する考えの底流に、この家族の形へのこだわりがあるのだろう。

家族制度は形の上では否定され、結婚は個人と個人の問題になってはいるが、陰に陽に影響している。結婚しているときには表面化しなかった問題が離婚になると、どっと前面に出てくる。平均賃金差が大きいのは、相変わらず女性の働きは家計補助という位置づけのためだし、離婚したくても女性が子どもを抱えて自活するには収入が足りず、父親が子どもを引き取ろうとすると育児の時間が足りない。

そんな厳しい現実の中でも、診療の場で多くの母子家庭の人たちを見てきて、いざとなったら何でもやる女性に何人も会った。昼間働き、子どもを寝かしつけてから深夜に弁当屋で働く人、早朝、ホテルのベッドメイクで働いてから子を保育園に連れていく人、飲食店の人は子どもを迎えにいったあと、また店に引き返す。借金を残して夫が消えたあと、借金ごと店を引き受けて営業を続けている人……その意地と覚悟は清々しいまでに心を打つ。

それだけ働いて、それに見合った収入が得られるか？　自分が病気になったらどうする？　非正規の人は子どもの発熱でも、休めばその分減収になる。働く女性が増えたといっても多くが非正規の不安定な仕事である。母子家庭の平均年収の低さは驚くほどである。非正規労働の増加。男女を問わず、それがゆとりのない社会の原因の一つであろう。

(3)　育児の目標

父親が育児を担うのはもちろん歓迎すべきことだが、人によっては企業の価値観が育児に反映しているように思う。ある小学生が水疱瘡になった。「うつる病気だからぼつぼつが乾くまで登校停止ね」と言うと、子どもは連れてきたお父さんと困ったように顔を見合わせている。お父さんが嘆く。「今年の目標は一日も休まないことなんです」「はあ?」。

二歳くらいの子が砂場で砂を山にしたり、崩したりしてニコニコと遊んでいる。じっと見ているお母さんは気が気ではない。「もっと生産的な遊び方はないのでしょうか?」と、夫婦で幼児教育専門家を訪れる。テレビで見たのだが、何てこと! 遊びってそういうもんじゃない? その子が気の毒になった。どろんこ遊び、水遊び、虫取り、そういった遊びではなく、教育玩具が売れるそうだ。

親が教育的配慮に駆り立てられるのは、どうやら「良い子に育てること」が親、特に母親の使命だかららしい。成績も態度も良い子なら母親も合格。でも、なかなかそうはいかない。それで、一生懸命になる。母親自身の自己肯定感は高くない。私はこれでいいわ、と割り切れない。それは、一つには都市生活も関係がありそうだ。周りを見て中学受験が多い地域だと、ウチも、と考えやすいし、のどかな地域ならそうはならないかもしれない。

一方では、学用品や食事まで困っている世帯が増えているというのに、これもまた、自分の見える範囲だけが「世間」になっているせいだろう。「子育ては大変」という負のメッセージだけが拡散している。

子どもたちの生命力、自ら伸びる力を大切にするには、今の社会の価値観つまり〝生産性の高い人を作る〟という考え方を、よほど深いところから変えていかないとならない。子どもや若い人たちが、こんなのイヤだ！　と自己主張しなければ。人にどう思われるか、でなく、自分を主張することで、たとえ僅かでも、必ず共感する人が現れる。

小さな子どもに向き合うとき、その目の輝き、くったくのない笑い、そのおかげで親は喜びをもらっている。それをずっと忘れないようにしよう。

子どもたちの意見を聞くのも面白い。診療しながらあれこれ聞いてみることがある。初めはモジモジしていても慣れるといろんな話が出てくる。

熱が出ている子に「自分ではどういう感じ？」と聞いたら「えーっ、自分の意見を聞かれたの初めてだよ」。そうなのか。熱を出しているのはこの子なのに。

熱があっても元気だから明日は学校に行きたいとか、熱があって頭が痛いから御飯食べずに早く寝たいとか……本当は自分の意見がある。それをまず聞いて、自分で決めるようにする。決められなければ親と相談する。学校を欠席してゆっくりすれば早く治る。欠席した結果は自分が引き受ける……。

こう言われたからでなく、自分が決めたから、という積み重ねができないものか。

子どもの時から、自由と自治、つまり自分の考えや感じ方を表現して、それを大人たちが「じゃ、やってごらん」と本人に任せて、一緒に経過をみる。その結果が悪ければどうしたんだろうね、と考える。失敗を咎めるのではなく、本人が考えるようにする。

大人の先回りがあまりにも当たり前になっている現在、またまた「時代が違います」と一刀両断されそうだが……。

時代が違うと言うなら、さらにもう一つ時代を変えてもいいのではないだろうか。

第三章　制度から逃げて……行先は地域

1　柏の寺小屋――個別具体的につき合う

地域とは何だろう。通常は住んでいる場所、その中でも同じ行政単位、あるいは活動する立場でいうと、徒歩や自転車でお互いが簡単に行き来できる範囲か。

私が病院から地域に出ようと思ったときも、患者さんである子どもたちの家庭と学校が頭にあった。学校でこんなことがあった、と言われたとき、その学校が頭に浮かび同じ学校に通っている子のことを知っている、という範囲である。開業すると小学校六、七校・中学校四、五校くらいの範囲から子どもたちが来た。

一九八〇年頃、千葉県柏市で「寺小屋」（普通は寺子屋と書かれるが、小さな小屋だったので）が開かれたときから、私の地域は広がった。我孫子、柏、流山、松戸と、常磐線沿線を中心にした東葛地区全体に広がったのだ。

寺小屋は、その少し前に柏駅の近くに住んでいた西村光夫さん（後に連れ合いになるので以下西村とする）が職場の同僚から、ウチの息子の勉強を見てくれないかな、と頼まれたのがきっかけで始まった。駅からすぐの家作で、玄関に「私塾　寺小屋」と表札が掛かっていた。そこは勉強というより中学生、高校生のいわゆるツッパリ仲間の相談を受けて、学校の先生や親に会い、話し合う場だった。ある時は警察に、ある時は少年院に面会に行くこともある、駆け込み寺のようなものだ。

しかし、生徒と先生という関係ではなく、次々に起こる事件を一緒に何とかしよう、という姿勢であり、その事件の根底には学校の管理への反発やさまざまな家庭環境があった。養護施設で育った西村にはとっては他人事ではない。仲間として関わる「寺小屋」の姿勢に、当時地域で教育問題に取り組んでいた市民にも反響が広がった。

障害者が自立生活を始めたのも同じ時期で、支援者が必要なときには茶髪のお兄さんが車椅子を押したりもする。通所施設の資金集め、ボランティア募集のキャンプにも寺小屋のメンバーが参加する。バンドを作って両方からメンバーが加わる。ＰＴＡ活動の女性、生協活動の女性、学校の教師、市会議員などなど、寺小屋を「面白い」と感じて顔を出した人たちは多かった。離婚して我孫子から松戸に転居したばかりの私もその一人だった。数年間、西村を中心に私たちは「東葛教育市民会議」を作って集会を続けた。ツッパリ少年たちが壇上に立って学校での様子を訴えたこともある。

これだけでは「教育問題」になりがちになるところを、西村は「個別具体的に」彼らと付き合う、という姿勢だった。

この寺小屋の存在は大きかった。去年、五月に亡くなった西村を偲ぶ会が一一月にあった。発言した当時の若者が（今や還暦手前だが）、口々に「西村さんは僕たちを一〇〇パーセント信じてくれました」と感謝していた。善悪の判断ではなく丸ごと受け入れる、その姿勢は周囲の大人たちにも理解されていった。だから、彼らが仕事を見つけるのが難しい時期に、市民活動で作られた廃食油で作るせっけん工場や、生協でも職員として採用された。

それでも、彼らは自分たちで仕事を作れないかと知恵をしぼり、元手のいらないリサイクル業を始めた。

2　ユーズリサイクルセンター

活動の初めは店舗がなく、寺小屋の関係で知り合った人たちから不用品を貰って、各地のフリーマーケットに出店した。収入はまったく不安定である。それでも西村と寺小屋のメンバーは『温故知新』という新聞を作り宣伝した。出店するだけではなく自分たちで主催もした。フリーマーケットは、八〇年代の初めはまだ「フリマ」とも略称せず、私の医院の駐車場で始めた八四年には「ガレージセール」と言っていた。ある意味では新鮮な印象を与える仕事で徐々にお客も増えていき、八六年にはプレハブではあったが、店を持つことができた。店の名前をユーズリサイクルセンターにした（以下ユーズと略す）。ちょうどいわゆるバブルの時代であった。

古いものを捨てて新しいものを買いたい。預かる商品は増えていった。一定期間預かって売れたら七割（後六割）を返す。売れなかったら引き取って貰うか、不要なら頂く。こういう仕組みも徐々に整い、店舗は柏と松戸の二ヶ所に増えたし、メンバーも増えた。

ツッパリ少年に加えて自主夜間中学に関わっていた人や、定職についていなかった人や家庭の主婦も。そして、すべてのメンバーの給料を一律にした。この点についてはいろいろ議論があった。でも、年齢や就業期間で差を付けるのも疑問で、能力に至ってはどうやって測れるのか。結局、みんな同じにした。結婚したり子どもを持った場合は手当として上乗せしたが、基本給は同じにした。リサイクルショップを始めて数年で便利屋も始めて、仕事は多様になっていく。「いらっしゃいませ」の一言が恥ずかしくて言えなかった少年が、見事に頼もしい青年に変身していった。

店というものは面白い。別に買う気がなくても入れるし、よほど邪魔しない限り歓迎される。特にリサイクルショップは安くてお得感があり、中には骨董品のような掘り出し物もある。店員もさまざまで、お客もさまざまだった。新しく事業を始めるという人は事務机やソファなど一式を買い求めるし、成田離婚をした人が婚礼道具一式を売りに出したこともある。一方で三〇円のタオルをたくさん買う人がいた。ペット用だという。そのように世相を反映している一面もあった。

私はときどき手伝いに行く程度だったが、行くたびに面白い出会いがあった。登校を渋る次男は、便利屋で引っ越しや片づけのあるときには、トラックの助手席に乗って喜んで手伝っていた。たいていの子どもがふだん知っている大人といえば親か先生しかいないが、ここでは何人かの子どもがよく顔を出し、遊び半分で過ごしていた。子どもたちが育つのには親や教師の他に「斜めの関係」が必要だとも言われている。店は自由な関係を結べる場でもあった。

さらに、フリーマーケットが定着していき、松戸でも市民団体主催で春秋、毎年二か所で続けた。宣伝のためにユーズのメンバーも、障害者のグループも私のような個人参加の者もチラシを撒きにマンション回りを繰り返した。集合ポストを見るだけでも暮らしぶりが分かったりする。フリマは買うだけでなく誰でも店を開けるのが面白いところだ。子どもが自分のゲームを売ると同じような年齢の子が群がる。おしゃれな女性が手持ちの服やアクセサリーを売れば飛ぶように売れて、毎回出店してくれる。障害者グループは大量に焼きそばを作り、寄付された服や雑貨を持ち込んで資金にした。みんなでテントを張り、区分けのラインを引く。その準備の作業にもユーズのトラックが活躍した。

その後ユーズリサイクルセンターは店舗を縮少して、リサイクルブティック一軒のみになり、便利屋事業を拡大して「ユーズ・ライフサービス」と改称して今に至っている。

3　松戸・すぺーす遊

私たちは「障害児も地域の学校へ」をスローガンに「松戸共に育つ会」を作り、他のグループと共に、地域に開いていくためにさまざまな団体に使ってもらおうと、一九八五年に一軒家を買って「すぺーす遊」と名付け、運営していた。同時に、その近くの公園でフリーマーケットを開いた。すぺーす遊を使うのは、育つ会、ユーズ、松戸自主夜間中学、PTA問題研究会、労働相談、などなど。泊まることもできた。廃食油でせっけんも作った。

ただ、常に人がいるわけではない。そんな事情もあって徐々に使う人が少なくなった。代わって、二〇〇〇年の介護保険制度を見越して、高齢者事業をしたいというグループからの申し出を受けて、一九九七年に建て替えて、一階を「宅配給食」の調理場にして、二階を会議室や作業場にした。

松戸市の高齢者福祉施策の一つに、食事作りが困難な一人暮らし高齢者にお弁当を届ける仕事がある。役所が費用の半額を出し、利用者は安く作りたての弁当を食べられる、という仕組みである。その仕事を受けるために「ＮＰＯ法人宅配給食すずな」を作り、多くの人が弁当作り、配達に関わった。現在、二五年経ってもその仕事は地道に続いている。殆ど労賃も出せないのに「お弁当を待っている人がいる限り続けます」と信念を持って活動している。

二階の作業場では、カレースパイスセットを作った。ある時、パキスタン人の友人が建設現場で倒れ、心筋梗塞と診断された。大学病院で手術をして助かったが、むろん健康保険はなく全額自費で一〇〇万円以上かかった。この時はパキスタン人仲間がカンパして支払えたが（オーバーステイの人ばかりでなく貿易商もいた）、これからもこういう費用は必要だと考えて、スパイスセットの製作と販売を思いついたのだ。手作業でスパイスを測り、小さい袋に入れていく細かい作業である。その作業に障害のある子や夜間中学に通っていた若い女性たちが誘い合って来た。つまり、普通の企業ではないがいくらかの収入にはなるので、入りやすかったのだろう。週に一回あるかないかの仕事ではあったが、ここでも出会いがあった。

メンバーの一人はごく普通の女子高校生に見えたが、兄弟やいとこが自分より成績優秀でいつも比べられ、叱られている。学校も休みがちになり夜間中学（公立でなく自主なので誰でも通える）で友達を見つけた。それでもリストカットが止められず、ときどき手首に包帯を巻いてきた。二階のメンバーはときたま、下の調理場を手伝うのだが、あるとき、調理をしながら、その包丁でリストカットしようとした。隣にいた弁当作りの女性が怒って止めてことなきを得たのだが、弁当作りのメンバーは一〇代の子のリストカットに直面して驚きを隠せない。「どうして？」「だって、むしゃくしゃして……」「でも、どうして？」

こんな風に一階と二階の人たちの間であれこれの話が始まり、数年間付き合いが続いた。スパイスセットを作っていた若者たちは順に学校や作業所などに移っていき、スパイスセット作りはその後柏の障害者作業所に引き継がれた。

すぺーす遊もフリマも弁当屋も、働く中心は地域の主婦である。私は自営業だから不十分でも参加できたが、勤めに出ている男性や女性は参加しにくい。参加した主婦は皆元気で行動力があった。普段は出会うことのない人と顔を合わせるのが楽しい、と言う。「家庭の主婦」とくくられる人たちも、そのくくりが、大げさに言うと境界が、一時的ではあっても「穴があいた」、その意味は大きい。

4　在日パキスタン人

そんななか、ある日とびきり大柄の外国人がユーズリサイクルセンターの松戸店にやってきた。どこから来たの？　パキスタンです。パキスタン？　続いてイラン人も来たしガーナ人も来た。パキスタンやイランと日本は当時、短期滞在であれば相互にビザ不要だったので、大勢の人が来日したのだ。日本に来たあとは、既に日本で働いている知人を頼ってアパートに同居しながら働く。雇う方も彼らのためにテレビや布団を必要とする。だから、双方がリサイクルショップに来た。特にパキスタン人が多くて、店でも話をするようになり、買ってくれれば配達をするから、彼らのアパートに行って暮らしの様子がわかる。数年前から来ている人は日本語も上手で、じきに友だちのような関係になって行った。

カレー食べていきませんか？　おいしそうな香りに惹かれ、何人かが誘われてアパートに行く。二ＤＫに五、六人、いやもっと大勢で住んでいる場合もあった。ユーズの方でも私のようなスタッフでない者も含め数人で行くから、どの部屋も満員で床に座り、カレーとチャパティ（ナンのように発酵させてかまどで焼くのと違い、全粒粉を水でよくこね、タワーという鉄板で薄く焼いたもの。家庭での主食）をごちそうになった。出稼ぎ労働者は全員男性である。国にいたときは料理などしない。「どうやって覚えた？」「電話でお母さんに聞いたんだ」。それにしては美味しい。

しかし、彼らの殆どは短期滞在期間を過ぎても日本にいる「不法滞在労働者」である。日本で土木現場で働き故郷に送金して来日のためにかかった借金を返し、家族の生活を支えるために来た。だから私たちの付き合いもカレーを食べてチャイを飲んで終わり、ではない。そのような上品なものではない。

何人かで住めば喧嘩もおこる。現場で怪我もする。病気になれば健康保険がないから、自費で治療しなければならない。何よりもまず必要なのは住む所だ。今いるところで問題が起こったり、友人や親せきがあとから日本にやってくると、新しくアパートを借りることになる。私たちは不動産屋をまわり、外国人ＯＫの物件を探して何人かで保証人になった。ゴミや騒音の苦情は保証人にくる。さらに、ときどきだが交通違反や事故で警察に捕まることもある。当初は警察沙汰になっても入管に通告されることはなかった。軽微な違反は日本人が引受人になれば終わり、であった。

それから、年々厳しくなった入管の取り締まりで捕まった場合もＳＯＳが入る。東京北区十条の入管に行き、面会し、連絡先を聞く。同じ不法滞在の仲間は面会に行けないから。結局は強制送還になるのだが、帰りの飛行機代とパスポートが必要だと言う。十条の入管はいつも混んでいた。面会の番になると「一五六！」と荒っぽく番号で呼ばれる。ここではすべて番号だった。タイやフィリピンの女性が捕まると雇い主と思われる「お兄さん」が面会に来ていた。悪質な業者はパスポートを取り上げると言われていたから、ここにきているのは比較的まともな業者なのだろう。さらに、いつまでも帰国条件が整わないと、新しくできた茨城県の牛久にある入管に収容される。

西村と私は地図を見ながら市街地から相当離れている牛久入管に二回行った。農地や空き地の広がる風景の先に真新しい白い建物があった。駐車場もロビーもガラガラ。面会者が少ないのだろう。パキスタン人の場合は知り合いが誰もいない例は少ないから誰かに連絡でき、帰国はできる（もちろん、不本意ではあるが）。しかし、そこで聞いたのは誰も面会に来ないまま、数か月もいる人の話だった。刑務所なら期間が決まっている。しかし、入管にはそれがない。あてもないまま、このコンクリートに閉じ込められている。心が折れはしないか……。

知り合いのパキスタン人の殆どはこうして順次帰国し、残ったのは、日本人女性と結婚して配偶者ビザを取得した人、長年中古自動車販売をしてビジネスビザを持っている人、そして知り合いの中では数人の留学生だ。強制送還された人は再度ビザを申請しても許可されない、そうしたことも徐々に厳しくなっていった。

あるガーナ人の知り合いは真面目に教会に通うタイプの人だった。仕事が無くなり（外見でわかるアフリカ系の人たちは建設現場から外されやすい）、徐々に心を病んで、ある時から同居している友人とも連絡が取れなくなった。探すあてはない。約一年後、ユーズの店に都内の精神病院から電話があった。そのフランシスという名のガーナ人が入院しているから面会にきてほしいとのこと。急いでその有名な大病院に会いに行き経過を聞いた。彼は本郷にある教会に時々通っていたのだが、あるとき興奮して暴れたため、警察官が呼ばれ逮捕された。警察から精神科救急病院へ、そして落ち着いたからと、大病院へ収容されることになった。よほど向精神薬を投与されていたのだろう。彼は自分の名前も連絡先も何も覚えていなかった。パスポートも持っていなかった。そして一年近く経って薬の量が減っていくにつれて症状が落ち着いてきて、いろいろなことを思い出した。まず名前と出身国。ただ日本国内の連絡先はわからない。そしてやっと思い出した電話番号がユーズリサイクルセンターのものだったのだ。

病院で会ったフランシスは以前と同じように穏やかな表情をしていた。しかし、左腕がブラブラして力が入らない。上腕骨を骨折し何も治療されずに固定してしまったようだ。その後、帰国したフランシスから手紙がきた。「私の腕、どうしたんでしょう?」うまく英語で説明できなかった私は「多分、逮捕されたときに折れたのだと思います」と短い返事をした。逮捕? 何で? それにはどう答えたらいいのか……。

その後入管法は何回も改悪(?)され、今日に至っても入管の管理のあり方や、難民を認めないこと、労働現場での不当な扱いなど、多くの問題がある。しかし、基本の「移民は認めない」姿勢が変わらない限り、外国人は安く使われ、〝不法な危険な人たち〟というレッテルから逃れられない。隣には住みたくない、というわけだ。

ともあれ、ユーズの店にはいろんな人が来て、鶴丸幸代さんのいう、〝制度から逃げた人たち〟の居場所にもなっていった。それは同時に制度の中にいると思っている人々へ何かを教えてくれるものでもあった。ある時、店の近くに住んでいる若い女性が二、三歳の子と、下の赤ちゃんを乳母車に乗せてやってきた。常連さんである。いつも、店の人たちも赤ちゃんをあやしたり、上の子と遊んだりしてお母さんとおしゃべりを楽しんでいた。ところがその日はお母さんだけ姿を消してなかなか戻ってこない。居合わせた人が赤ちゃんのおむつを見ると数時間取り替えていないようだった。「どこへ行ったんだろう?」「家はどこ?」。あれこれ話しているとき、無言でパキスタン人のナワーズが近づき、さっと赤ちゃんを抱きあげると店の裏の水道へ行き、おむつをはずしてジャージャーとお尻を洗い出した。タオルでふいて戻ると「日本人、何してる? おしゃべりだけか?」。まことに恐れ入ります。

このナワーズという人は頭の回転が速く、日本語も一番上手で冗談もうまい。日本語はテレビのコマーシャルで覚えたという。「反省だけなら猿でもできる！」など、何度聞かされたか。その彼に一度、真顔で叱られたことがある。おそらく、私がさかしらな物言いをしたのだろう。「うめさんね、頭が良いだけじゃだめですよ。本当のことはわかりませんよ」。以来、ときどき思い起こしては反省している。

彼は七人兄弟の長男でパキスタン北西部に多いパシュトゥーン人。お父さんは若いときに職を求めてカラチに出てきて、ずっとタクシー運転手をして一家を支えてきた。ナワーズは高校まで通って、その後、弟妹のために働いていた。日本に先に来ていた知人を頼って一九八五年頃に来日。たくましい身体で骨惜しみせず土木現場で働いていた。初めて会ったのは、彼が同室の人と喧嘩をして仲裁に入った人に怪我をさせてしまったため、西村が深夜に私の診療所に連れてきた時だった。ちょっと頭に血が上りやすい。そんなところも気が合ったのだろう、西村とは一番親しくなった。のちのパキスタンでの活動も、この人がいなかったら始められなかっただろう。通訳はもちろん、彼には、パキスタンの事情も教えてもらい交渉にも参加してもらった。

5 パキスタンへ

ナワーズを始め何人かのパキスタン人と親しくなった頃、そのうちの一人のアンサリが一時帰国した。彼がいるからパキスタンに行って他のメンバーの実家に行ってほしい、手紙や土産を届けてほしいと何人かに頼まれた。その前にユーズのメンバーがフィリピンを訪れたのを聞いて「ぜひ、パキスタンへも行ってみてくれ」という。故郷を誇りに思う気持ちが強い。

一回目は一九九一年、湾岸戦争後。空港も古いままで、外へ出るまでもごったがえしていて、何が何だか？　という思考停止の状態が続いた。カラチではナワーズのお父さんがアドレスを頼りにあちこちに散らばっている友人の家に案内してくれた。先に帰国していたアンサリが、自分の故郷であるシンド州北部の村へ連れて行ってくれた。夜明け前、祈りの時間を告げるアザーンをすぐ近くで聞いたとき、「あー、異国に来たな〜」と実感。

その後、ユーズのメンバーでパキスタン訪問のツアーを三回実施した。それまではパキスタンてどこ？　という人たちばかりである。でも、具体的に個人を知る、国のお父さんお母さんにも会う。そうしてパキスタンは身近になっていった。

差別というものは、まず実際を知らないのに貼られているレッテルだけで人を判断することだ。パキスタン？　危険じゃない？　汚いんじゃない？　イスラム？　テロでしょ。この時もいろいろ言われた。

「それで、あなたは何を知っているの？」と問いたい。パキスタン人と結婚した日本人女性のお母さんが嬉しそうに言っていた。「私、新聞も読まないし、パキスタンなんてまったく知らなかったんですよ。でもこの子が結婚してから新聞見て、パキスタンという文字があったら目が行くようになりました」。

そうやって、私たちの地域は広がって行った。

確かに、カラチに降り立ってみると喧噪と土埃に包まれ、道路わきには吹き寄せられたゴミと共に空のビニール袋が舞っている。交差点で車が止まれば子どもたちが手を出して集まってくる。物乞いの女性たちは弱った赤ん坊を抱いて近づいてくる。貧しい暮らしの人々が圧倒的に多い。でも、彼らに責任があるのか？　私たち日本から来た者は施しをするしかないのか？　疑問が次々に湧いてきた。せっかく知り合い、親しくなった人たちのところだ。何か考えよう。子どもたちの様子から学校に行っていない子が多いのは見て取れた。

学校……。新しく作る力はないし、ODAのように学校を作って終わり（言いすぎかな？）、ではない。西村が、カラチで無料の学校（アル・カイールアカデミー）を始めていたムザヒル氏に、現地に住んでいる日本人の尽力で出会え、運営資金を双方の「仕事」を通して作っていく構想ができた。日本での仕事はやはり、リサイクルだった。古着を日本で集める。多量に、しかもコンスタントに集めるために「ファイバーリサイクルネットワーク」が作られ、いくつかの生協を中心に市民に協力を呼びかけた。古着はそのままでは売れない。仕分けし、梱包し、コンテナーで輸出する。それをカラチの古着業者に売って売り上げから経費を引き、利益が学校に使われる。その仕組みが軌道に乗るのに数年かかった。

その日本での活動団体が「NPO法人日本ファイバーリサイクル連帯協議会（JFSA）」である。JFSAでは古着の回収事業と並行してパキスタンを知ってもらうツアーを何回も企画した。普段は古着の回収に協力している生協を中心にした主婦の人たち、スタッフの友人、学生などなど、毎回多様な人たちが一週間程度パキスタンを訪問した。宿泊もホテル泊は少なく、ムザヒル校長宅や現地の友人宅に民泊した。

私自身はスタッフでもなく、理事でもない助っ人であったが、西村の「相棒」として診療所の夏休みなどに何回かパキスタンを訪れた。女性や子どもたちと話をするには英語でなく（こちらも英語ができるわけではないし）、ウルドゥー語というパキスタンの公用語を学ばなければならないと痛感した。

6　パキスタンの人々の暮し

パキスタンで一番強い印象を受けたのが「パルダ」だ。直訳すると幕とかカーテン。意味するところは男女を分けること。ある家を訪問する。同行の男性は玄関に近い客間に案内され、女性は「こちらへ」と奥に。え？　と思うとドア一枚でまったく別の女性だけの世界が広がっている。その部屋に入れる男性は家族や親族のみ、子どもは近所の子でもO

K。私たちのような外国人の女性は男性部屋にも入れるが、男性は奥には入れない。奥の部屋には外国人が来たせいか親族も集まって想像以上の数の女性がいる。話しかけられても英語ではないし、家によってはウルドゥー語でもない。多民族国家のパキスタンでは母語はそれぞれ別にあるのだ。

もう一つ。パルダに関係することだが、アフガニスタンの映像が日本にも頻繁に映されるようになった時期に話題になった「ブルカ」。これも女性抑圧の象徴になった。被り物によって女性が頭や顔を隠すのはイスラムの国々では共通しているが、国によって大分差がある。パキスタンでは薄いショールのような「ドゥパッター」という布を被る。室内ではゆるく首に巻きつけている程度で近所の買い物に行くときはきちんと髪を覆い、場合によって服（シャルワールというズボンとカミーズというブラウス）の上から黒いコートを羽織る。あるお宅では色々なコートを見せていただき、その中にブルカもあった。状況によって、着る服を変えているようだった。

長々と趣旨からはずれたことを書いたのは、単純に「タリバーンだけ女性抑圧」と言い切れないこの地域の文化や歴史がある、と言いたいためである。私たち日本人の女性もパキスタン滞在中はシャルワールカミーズを着て、ドゥパッターを被る。これは、その国の文化、習慣を尊重するという意味であり、同時に招待してくれた男性が周囲から非難されないように、という配慮でもある。同様に日本人の男性も、白いシャルワール・カミーズ（男女共通です）を着る。

ただし、ＪＦＳＡが運営資金を支援しているアル・カイールアカデミーがある低所得者の多い地域では、女性部屋、男性部屋などと分けられない。パルダなどと言っていられない。ドゥパッターは被るが……。

学校の隣の家に案内してもらったことがある。路地に面したドアを開けると土間があり、左には敷物が敷いてある六畳弱の一間の部屋、右側の地面には簡単なコンロと流し。それだけだ。水は買ってくる。電気はその地域で勝手に引いた線からさらに引いてくる。母親と子ども三、四人がいた。父親は日雇い仕事に行っている。このような家がびっしりと並んでいた。

そのエリアの人たちはアル・カイールができて、無料で子どもを学校に通わせられるのを非常に喜んでいた。それでも高学年（パキスタンでは五歳から一〇年間初等中等教育がある）

になると働ける子は学校をやめていく。もともと、この学校は午前クラスと午後クラスに分かれていて、仕事に行きながら登校している子が多いのだが、それもできなくなると、学校をやめるのだ。そのために入学時の生徒数よりも卒業生はかなり減ってしまう。女生徒も大勢通っていて、高学年に残るのは女生徒の方が多い。男子は労働力になるから、途中でやめる率が高いのだ。

一〇年勉強して国のマトリックス（中学卒業資格試験）に合格すると、次はカレッジだが、これには授業料がかかる。私たちはここの生徒たちにインタビューをしたことがある。成績の良い子は医者やエンジニアになりたいと希望する。

そのうちの一人、医者になりたい女生徒に西村が尋ねた。「いくら勉強してもカレッジや医学部の学費は高いから無理なんじゃないか?」ちょっと意地悪な質問を敢えてした。「そうかもしれない。でも、神様がいつかチャンスをくださるかもしれない。そのときのために準備はしておかないと」と、けなげな答えだった。聞いたほうが恥ずかしくなる。

この少女サイマは卒業後、母校の教師になり、現在は教師たちのリーダーになって学校の運営を支えている。

校長先生の家には通いのお手伝いさんがいて、一人息子を育てていた。彼女の夫は家の近くで喧嘩をし、殺されてしまった。パキスタンで女性だけで子どもを養うのは難しい。彼女は小さかった息子を連れてムザヒル宅に通い、働き続けた。子どもは小柄でひよわに見えたが、学校に数年通い、自動車修理の小さな工場で働いた。よく油まみれの手を見せてくれた。そして一〇年ほど経ったら独立し、次に会った時には父親になっていた。

一〇年、二〇年とパキスタンと行き来して、政党間の抗争、地震、洪水、さまざまな出来事に遭遇した。それでも、「パキスタンという国は云々」と解説はできないし、するつもりもない。

パキスタンでの活動は初めから支援を考えていたのではなく、友達付き合いの延長にできたものだった。何もかも手探りで、失敗を重ねてなんとか流れができてきた。発想のもとはユーズのときと同じように「無いところから作る」そして「多くの人の手を借りる」であった。スタッフの給料が初めはゼロだったところも同じである。力仕事も同じである。

ムザヒル校長とも、その点は分かりあっているが、一九八七年に生徒一〇人で始めた学校が、私が知っている二〇〇〇年頃には二五〇〇人となり、現在は八校　四五〇〇人に増えて、初期のイメージとは少し変わってきた。アメリカのＮＧＯなどからの寄付金が増えて運営はできているようだ。しかし、ＪＦＳＡの関係者にとっては、こうした「個別・具体的」な付き合いができたおかげで、世界を見る目にもふくらみができたように思う。

海外支援は、テレビでの宣伝のように「こんなに困っている子どもたちのために寄付をする」という話で終わりやすい。国内の活動より一層格差が大きく、しかも直接には知らない関係である。ＪＦＳＡでは繰り返し「支援とは何か？」と自問自答してきた。資金をカンパで集めているわけではないけれど、やはり余裕があるからこそ、できている活動である。

それでも、養護施設で育った西村にとっては「否応なく支援を受けざるを得ない立場」への疑問と怒りがある。そして、富める者と貧しい者、富める国と貧しい国、この世界の矛盾にぶちあたる。

もらうしかない、くれた人に対してお礼を言うしかない。そうなのか？　今も自問自答するしかないが、〝貧しい子どものためにいいことをしている〟という意識だけは否定したい。

私は始めるところはかなり立ち会ってきたが、組織が確立してからは直接関わっていないのでJFSAについて語る立場にはない。ただ、パキスタン人との出会いによってイスラムという日本ではなじみのない、あるいは西欧寄りの教育やメディアによって遠ざけられている文化、歴史に触れることができ、感謝している。

繰り返しになるが、問題のパルダ社会も簡単に言うと男性と女性は違うという考えの表れではあるが、民族によって強弱があり、さらに、その家ごとに違う。支援している学校の校長のムザヒルさんの家では奥さんも学校のスタッフだし、パルダはなかった。しかし、理事のうち、一人の家は厳格だった。パキスタンは正式名を「パキスタン・イスラム共和国」といってイスラム教を国是としている。実際はその聖典であるコラーンの解釈をめぐり教条主義的なグループ・個人がいれば、西欧化した宗教性の薄いグループ・個人がいる。個々に理解する必要があった。

もう一つ、この国はかつてはイギリス領インドとして現在のインドと同じ国だったから文化的社会的に共通点がある。ちなみにパキスタンのウルドゥー語とインドのヒンディー語は文字は違うが言葉は殆ど同じである。結婚についてみると、ほぼ内婚制なのもインドでいうカーストが基にあるかもしれない。知人のパキスタン人の多くはいとこ婚か、はとこ婚で、幼い時に親同士が相手を決めてしまっている場合もある。女性の結婚年齢は若い。というあれこれもまた、何回もパキスタンと往復している間に学んだ。

ひるがえって、日本ではどうなのか？　彼らは遅れていて、日本は進んでいて男尊女卑はないのか？　ジェンダーギャップはどうなっているのか？　他人事ではない。

また、古着のリサイクルを通じて私たちが普段、資源回収の場所に置いて終わりだった古着の行方についても、ある程度知ることになった。パキスタンの綿花畑で女性たちが一日五〇ルピー（一九九七年当時五〇円ほど）で摘み取った綿花は現地で糸になり、輸出され衣服になって私たちが着る。不要になった衣類はアジア・アフリカ諸国に輸出され（特にカラチは関税が安かったため世界中から大量に集まる）、さらに売れ残った衣類は焼却炉を持たない現地のゴミ置き場で野焼きされていた。繊維の始まりと終わり。その両方を目撃した私は、リサイクルの美名にとらわれてはならないと強く思った。

いわゆる先進国の日本。その中の中流社会では視野に入ってこないことがいかに多いか。狭い地域にいては分からない。

7　地域の怖さ

地域は、住んでいるところである以上、世間でもある。学校へ行かない子が家から出られないのは、世間では学校へ行くのが当たり前と思われているからだ。救ってくれる人もいるが、出会わなければ家族で閉じこもることになる。障害者や高齢者の介護もしかり。社会的な援助と家族だけでは難しい場合が多い。積極的に外に出ようとしないと援助の手は届きにくい。

同時に近くに住む地域であるから、何かあるとトラブルになる。私たちが多様な人が寄り集まれる場所を探したとき「不特定多数の出入りがあるなら家を貸さない」と言われた。それで、中古の家を買って「すぺーす遊」と名付けたのだが、自閉症の子が大きい声を出した、夜集まっているとうるさい、などとやはり苦情がきた。謝って済む場合も多いが、ある時「あんたたちを追い出すことなんて簡単よ」と言われ、地域の怖さを思い知らされた。常に住んでいる人のいない家は、不審の眼で見られる。共通の考えで近くに暮らしているわけではないから仕方がないのだが、一種の迷惑施設なのだろう。このせちがらさは、状況によって強くもなり弱くもなる。国家による「隣組」が推進されたら……相互監視体制になる。

地域での活動では、いつもこの「怖さ」をどこかで認識しておかなくてはならない。異なる考えの人たちが認め合う意味は大きいと思うのだが。

それでも「違っているから面白い」、その考えは変わらない。

第四章　地域からはずれて……野宿の人々

1　隅田川医療相談会で

鶴丸幸代さんと山谷に行っていた一九九〇年代初めには、さほど目につかなかった青色のビニールシートで覆われたテント小屋が、一〇年も経たないうちに隅田川両岸にぎっしりと並ぶようになった。バブル崩壊による建築不況で主に土木・建築業の現場で働いていた労働者が仕事を失ったのだ。隅田川だけでなく、都内のあちこちの公園の中にも青いテントが目立っていた。山谷周辺のドヤ（簡易宿泊所）で暮らしていた人もドヤ代が払えなければ野宿になる。そんなとき、野宿していた人が病気で亡くなった。

二〇〇一年の終わり頃、それまで山谷を中心に労働者と共に活動していた団体が危機感を持ち、医療という初めての取り組みを他の団体に呼び掛けた。国境なき医師団、足立区の医療関係者など。そして私も呼ばれた。月に一回の隅田川医療相談会のスタートだ。医療、と言っても公園にテントを建て、薬を持ち寄り……毎回手探りだった。

まず、ここでできることをする。話を聞き、風邪や小さな怪我には薬を出し、消毒処置をする。市販薬を何種類か用意した。血圧測定と尿検査もできる。数年後には鍼灸師のグループも参加して皆に喜ばれている。

問題は、ここでは対処できない場合。病院を受診しなければならないが、住所も健康保険証も、もちろん現金も持っていない人たちである。どうするか。

まず、社会福祉事務所に行き、生活保護を申請する。このとき、本人一人だとなかなか壁が高い。それで支援者が一緒に行き窓口で交渉する。このときに私たち医師が書いた紹介状を持っていくと要医療となり、とりあえず一回は病院を無料で受診できる。その病院でも要医療という診断が下りれば医療券が発行されて生活保護も受けられる、という仕組みだ。普段の医療でも開業医がもっと大きな専門病院に紹介状を出すのは当然で、患者さんもそれがあると助かると思っている。私も当然紹介状を喜んで受け取ってもらえるものと思っていた。

ところが、相談会が始まってまもなく糖尿病の治療が途切れていた男性に「紹介状を書くから、病院に行ってまた治療を続けてください」と言ったら、「病院？　ここじゃ薬が出ないのか、そんならいいよ」と立ち去っていく。これには驚いた。そして、もう一度呼び止めて、訳を聞いてみた。どうやら、病院ではイヤな対応をされた経験があるらしい。しかも再び生活保護を受けなければならない。生活保護受給者というだけで他の患者とは別の目で見られる、服装で明らかな差別や侮蔑を感じる、医師がそっけない、などなど。これは他の人からも聞いたし、私自身何年か後に野宿者と救急車に同乗して病院を受診した時にも感じた。だから、本心は治療を受けたいけれど、あれこれ考えると「じゃ、いいや」となってしまう。

しかし、それまで野宿者の人たちを診察したことがなかった私は、自分がそのように受け止められたことを恥ずかしく思った。福祉も医療も建前は誰にでも等しく門戸を開いているはず。でも、実際は関係者が壁になり必要な人々を遠ざけている、それを気づかされた。「本人にとって」どうなのか。それを第一に考えなければならない。当事者への敬意を忘れていた。

当時は、昔国民病と言われていた結核が減ってきて、それにもかかわらず大都市にはまだ残っていることが注目されていた。相談会が始まって数年後、結核予防会の協力でレントゲン車を出して検診をすることを試みた。受診者は少なく、陽性者もいなかったけれど、二〇〇八年の年越し派遣村後の集会にもレントゲン車を出した。相談会でも、私は三人の結核患者を診察した。初めの人は結核治療の入院中に逃げて、元いた山谷に戻ってきたが症状が悪化して心配になり相談会に来た。その場で近くの病院に紹介し簡単な喀痰検査で結核菌が多数発見され、元の病院に再入院。その後、相談会のメンバー三人でお見舞いに行った。厳重に隔離された病棟で、彼は静かに過ごしているようだった。「どうして前に病院から出ちゃったの?」と問うと、困った表情でしばらく言葉を探してから「うーん、何もねえしよう」と。見舞いもない、友達も来ない、退院したらどうするというアテもない……病院でじっとしているよりも野宿している仲間のところに戻りたい、と思ったようだ。

確かに、私たちが病気にかかったとき、入院したとき、どうしているだろう。何を「アテ」にしているだろう。治りたいという気持ちは、治ってこうしたい、誰かを安心させたいなどさまざまな「アテ」、希望によって支えられているのではないだろうか。

もう一人、かなり高齢の人は足がむくんで歩きにくく、熱も高かったので救急車を呼んだ。私が同乗したが、車はなかなか出発しない。受け入れてくれる病院が見つからないのだ。救急隊員が医師が同乗していると言って、やっとかなり離れた病院からＯＫがでた。休日の外来は閑散としているが当直医の指示でシャワーをしてから診察するという。え？　熱が高いんですよ？　と思ったけど、従った。こういうふうに扱われるんだなー。

入院後に結核がわかり転院して、相談会のメンバーが代わる代わる見舞いに行ったが、数か月後に彼は亡くなった。もう一人は若い人。飯場で働いていて、腕が痛いと相談に来て紹介先の病院で骨結核と診断され、結核専門病院へ。一度お見舞いに行って、誰かに連絡しようかと言ったら、家族は誰もいませんから、との答え。

その後、東京や大阪の結核患者は減ってきたという。初期に治療すれば大方は治る。治療費もかからない。けれどもこの三人のように、悪化するまで受診しない、途中で止める、そういう人たちが決して稀ではないと思い知った。どうして治療がとぎれるのか？　本人の勝手、と言い切れるのか。

2　野宿生活になった理由

野宿者、ホームレスというと、自分には関係ない別世界だと思っている人が多いだろう。しかし、あの野宿者が増えた時期、何人かの人と話してみると実にさまざまな理由があった。多くは現場で働いていた中高年の男性で、はじめは出稼ぎで東北などから上京し、定期的に帰っていたが、帰らなくなった人。飯場を転々としてきたから仕事がなくなったら家もない人。先月まで勤めていたがクビになり、借金もあって家賃が払えない人。兄の工場で働いてその中の部屋で暮らしていた人は、自分の失火で工場が焼け、申し訳なくて出てきた……。二〇〇八年の秋葉原通り魔事件で派遣労働者がクローズアップされ、若い人でも仕事がなくなれば路上に出るしかない、と社会的に認識されはじめた。非正規で不安定な仕事で暮らしている若者たちも住む家を失っている。ただ、路上に居ないから、目に見えないだけだ。決して他人事ではない。

失業しても失業保険が出る企業なら数か月はやりくりができるかもしれない。いくらかの貯金もあるかもしれない。そうした制度で保護されている人とそうでない人。その格差は広がっている。「自己責任」という言葉が当然のように冷たく使われているが、自分は大丈夫、と言い切れるのか？　ホームレスになっても生活保護受給に二の足を踏む人は多い。役所から家族に連絡が行くのを恐れて、思い止まってしまう。それは自分自身が受給が恥だと考えているからだ。本当は権利なのに。ずっと働いて税金も払ってきた。何も恥じることはない。でも、このようなギリギリの状況になっても「世間に顔向けができない」とお互いに思わされている。

他人事だと思っているから、路上の人を人間扱いしない「普通の市民」に出会ったことがある。何年か前の相談会の日。隅田公園では、その日は地域の子どもたちのマラソン大会が開かれていた。公園内の道の両側にロープで境を作り、さらに主催者のスタッフが立って走路を守っている。その外を歩いていたら初老の男性が倒れていた。そばによって話しかけても反応がない。脈もない。何人かが立ち止まり、誰かが一一〇番した。警察官が来て、近くにいたスタッフに状況を聞いているのに立ち会った。そのスタッフはうろたえることなく「競技に邪魔ではなかったので、そのままにしていた」と言う。ええっ？

人が倒れているのを知っていて？　彼、善良で子どもたちのためにボランティアで活動しているその人にとって、身なりの貧しい男性は文字通り、路傍の石でしかなかった。邪魔ならどかすし、邪魔でなければ放置する。自責の念は全くなかった。

実際は倒れていた人は野宿者ではなかった。でも、それはマラソン大会のスタッフにとってはどうでもいい問題だっただろう。いずれにしろ、自分の地域のメンバーには見えない、価値のない人間だったのだ。

その頃、中学生や高校生が野宿者に乱暴を働く事件があった。中には殴り殺される人もいた。子どもたちから見ると「社会のゴミだから掃除した」のだろう。一、二年前話題になった、渋谷区のバス停でホームレスの女性が殺されたのと同じ理由なのだろう。医療相談会のメンバーが近隣の中学校に授業で野宿者のことを説明する試みをした。どんな人がどんな理由で住む家を失うのか。それは今、家がある人たちと無縁ではなく、誰でもなり得る問題なのだ。人権、という抽象的な言葉より、分りやすく子どもたちに伝わったのならよいが……。

3　野宿する女性たち

野宿者のほとんどは男性だが、女性もいる。ただ、テントや段ボールで雨露をしのいでいる人は少ない。夜は危険だからと二四時間営業のファストフード店で過ごしている人がいた。横にはなれないから一晩中椅子に座っている、と。若い女性は自衛のために二人で生活していた。

あるとき、六〇代半ばの女性が相談に見えた。

健康には心配はないと言う。

「ただ、ちょっとおしゃべりがしたくて……私ね、家を出てきたんですよ」

「ん?」

「団地に長いこと住んでいて夫婦二人で働いて子どもはいなかったんです。だいぶ前に夫が亡くなり、私も年取ってきて失業しました。それで生活保護を受けて暮らしてきました」

聞けば私の住む松戸市内の大型公団住宅だ。一九六〇年代にできた五階建ての団地にはエレベーターはない。階段を上がりながら左右の部屋に分かれていく。「同じ階段」というのが近所付き合いの単位である。朝夕子どもたちは連れだって学校へ行き、帰ればランドセルを置いて外に遊びに行く。親も挨拶を交わしながら子どもたちにまぎれ、いっときを過ごす。

でも、この人（相談票を作るので氏名年齢はメモしたが忘れたので、小川和子さんとする）には子どもはいないし、日中も留守をしている。同じ階段の人たちとも軽く挨拶する程度の付き合いだった。数年間一人で暮らしていて殆ど人と会話していない。

小川さんは「このままでは自分がおかしくなりそう」と感じていた。

それで、ある日、思い切って手元の現金だけを持って、団地を出た。駅までバスに乗り、電車で上野に向かった。

煙草をひと箱買って、上野駅周辺で路上生活をしている人たちに、このときも思い切って声をかける。

「たばこ一本どう？」

すると「おー、ありがたいな」と声が返ってくる。

途端に緊張がとけ、笑顔になれた。
二、三日路上で過ごし、隅田川で相談会があると聞いて、ここにやって来た。
小川さんは小柄で地味な年齢相応の女性だった。けれども顔は明るく声を弾ませていた。

「たばこ一本で人と付き合えるんですね〜」と、しみじみとたばこを手にしていた。

三〇分程度の会話だった。

だが、私にとって実に貴重な出会いだった。十数年間、毎月一回この相談会に参加していて一番の出会いだった。

やったね！　よくやったね！

心から感嘆した。

その後、小川さんは支援者と墨田区の福祉事務所に行って生活保護の手続きをしたという。女性なのでドヤでなくアパートを紹介された。下町の古い、風呂のない、もしかすると炊事も共同炊事の設備しかないアパートで小川さんはどう過ごしているだろう。

「たばこ、どう？」とか「大根たくさん煮たから少し食べる？」、なんて近所の人たちとおしゃべりしているだろうか。

団地の時と同じように生活保護を受けていても、そこでは誇りを失うことなく、暮らしているだろう。

小川さんのことは何年経っても鮮やかによみがえる。その都度、胸が温かくなる。人間の底力を信じられるのだ。

私の体験では、「野宿者」とひとくくりにして論じたり、「支援すべき人たち」と決めつけるのは間違っていると思う。一対一で話してみると、この社会が見ようとしていない現実を教えてもらえるし、だから一層、社会の分断への怒りを覚える。

制度は建前では、弱い立場の人たちも人として尊重され、保護されることになっている。だが現実は？

4　仲間としての野宿者

相談会に来る人たちといろいろな話をしたなかで「仲間」という言葉をよく耳にした。

テントを作って生活している人たちはお互いに行き来して、どこで炊き出しがあるか、どこなら空き缶が集めやすいとか話している風景は見るが、一人で離れて段ボールで暮らしている人もいた。仲間とは野宿者仲間という意味だろうが、必ずしも行動を共にしているわけではなさそうだ。

先ほどの結核病院から出てしまった人も「仲間のところに行きたくて」以前暮らしていた山谷に戻ってきた。小川さんは団地では見つけられなかった〝ホッとする関係〟を野宿者の中で見つけた。

暮れから正月にかけて現場の仕事が無くなる時期に山谷の公園で行う「越冬闘争」（労働者が集まってテントで暮し、飲食を共にする）では、やはり病院から抜け出したある男性が「最後は仲間のところで」と、布団を並べている場所に来て、次の日には亡くなっていたことがあった。

そこには〝世間からはみ出した〟という共通の仲間意識があるのだろうか。

5　見えない野宿者

その後、行政による青テントの撤去が進み、一〇年も経たないうちに風景はすっかり変わっていった。高齢になった人たちは仕事ができなくなり生活保護を受給するが、ドヤに住んでいればまだしも、多くは急速に増えた無料低額宿泊所という共同住宅に囲い込まれる。ここに住むと、生活保護費の中から管理者に家賃や食費名目でかなりの額を払う。中には初めから保護費を管理者が押さえ、そこからわずかな現金をもらう所もある。貧困ビジネスである。

アパート保護の場合も、遠くのアパートだと今までの人間関係は壊れる。若い人たちはネットカフェなどで過ごし、仲間は作りにくい。

青いテントが立ち並んでいたときに見えていた「野宿者」の存在は近年一般の人からは見えにくくなってしまった。同時にそこにあった当事者のコミュニティも壊れた。しかし、住む家のない人たちは減ってはいない。孤立化が進んでいるのだ。千葉県流山市で生活保護基準額引き下げに反対して訴訟を起こした男性は、自分の家を「社会的排除の地域版」と呼んでいるという記事があった。

まさしく、地域に住んでいても当事者からみれば社会的に排除されている、というのが実感だろう。

6　働く場作り「あうん」

ここで知り合った野宿者や失業者と支援者が共に働く場として、二〇〇二年に東日暮里に「あうん」という店ができた。千葉のＪＦＳＡを参考に、寄付される古着のリサイクルショップから始めて、便利屋、廃棄物の回収事業、そのための倉庫と、事業を大きくしてきた。その中にフードバンクもある。フードバンクでは食料を集めるだけでなく、田んぼで米の収穫もしている。「あうん」は野宿者の仕事を作り、コミュニティの場を作って、そこに若い人も中高年も集まっている。医療相談会の活動の中心にもなっている。

昨年、私は数年ぶりに隅田川医療相談会に顔を出してみた。相談に来る人の数は目に見えて減っていた。でも、誰でも顔を出せる、医療にも福祉にもつながる、そういう場はとても貴重だと思う。

第五章　私と世間との距離

1　友達に言えないこと

自分のことに触れるのはちょっと気がひける。しかし、鶴丸幸代さんとやりとりができたのは、何か共有できるものがあったからだし、やりとりのおかげで、私も実体験をどう捉えるか、得たものが大きい。それに、鶴丸さんを勝手にまな板にのせて、自分はどうなの？　と責任も感じる。

私は子どものときから、世間との距離を感じていた。制度を含む人々の価値観、他人を見る目。こういったものへの違和感があった。子どもの時期には、それは端的に友だちに言えないこと、だ。

父の名字は岡である。
母の名字は桝本である。
私たち三人兄妹の名字は桝本だ。

何の問題もない。

そう、何の問題もない。家の中では。

しかし、外へ出るとたまに問題がある。

初めてそれを感じたのは軽井沢に住んでいた小学校一年か二年の頃。軽井沢？　と聞いた人のほとんどは優雅な暮らしを思い浮かべる。しかし、それは都会に自宅があって、軽井沢に別荘を持っている人たちの話だ。

父、岡邦雄は科学史研究家で、昭和七年（一九三二年）に哲学者の戸坂潤氏らと唯物論研究会を発足させた。当初は唯物論について研究する合法的民間団体だったが、昭和一三年（一九三八年）、研究活動も治安維持法違反とされ、会のメンバーは一斉検挙された。十五年十二月に保釈で出所した後、父は戦争末期の昭和一九年（一九四四年）七月に刑務所に収監された。私が生後三か月の時だった。

昭和二〇年（一九四五年）八月に戦争が終わり十月に釈放されたけれども、住む家もお金も仕事もない。これは戦争で焼け出された人たち、働き手を失った人たち、みんなに共通する戦後の状況だった。我が家の場合は友人・知人の尽力で、どなたかの使わなくなった別荘を貸していただき、移り住んだ。つまり、夏用の家に冬も住んだのだ。

終戦後、共産党やその他の政治団体、労働組織などほぼ全てが合法組織になり、両親も共産党に入党した。軽井沢にも共産党の「細胞」と呼ばれる組織ができて何人かの地元の人が家を訪れるようになった。住む家は見つかったけれども収入はほとんど無い。

そんな中で、細胞の人たちが助けてくれた。父はいちおう物書きだったためか「岡先生」と呼ばれていた。家は旧道の町並みからはずれて、碓氷峠の方向へ少し登ったところにあった。その坂をリヤカーに米や白菜などの野菜を積んでおじさんたちが運んできてくれたのだ。秋には冬を越すための大量の薪も作ってもらった。

あるとき、そのうちの一人のおじさんに町なかで出会った。私は同級生と一緒だった。朴訥そのもののようなおじさんが目を細めて「あれー、岡先生のお嬢さんだよねー」と挨拶してくれる。友だちは「え～?・」という顔をしている。私は真っ赤になり、うろたえて、知らんぷりをして友だちと駆けだしてしまった。おじさんごめんなさい、と後々までしこりが残っている。

もう一回は中学受験の時。中学受験などおよそ縁のない生活をしているのに、試験の一か月くらい前に、突然、母から「あんた、お茶大の付属を受けなさい」と言われ、古本屋で買ったらしい小汚い問題集を渡された。なんで？　と思いつつ、こういうときは逆らっても無駄だと分かっているので受験した。どうやら母は自分が中退に追い込まれたお茶の水女子大学（戦前の東京女高師）に仕返しをしたいと思いついたようだ。学科試験が終わり、ダンスだの体育だのの試験も終わって、面接があった。面接官は「お話に出てくる寮の舎監」そのものという感じのメガネをかけた厳しい表情の女性教師だった。

「あなた、どうしてお父さんの名字とお母さんの名字が違うのですか？」

（なにー?、もう一度言ってみろ！　と机をひっくり返すべきだったのだが）

怒りよりも屈辱感や恥ずかしさがはるかに勝り、このときもただ真っ赤になって下を向くしかなかった。終わって母に言うと、顔色を変えて「あんな学校、行くのよしなさい」ときた。あ〜あ、誰が受けろと言ったのよ。もちろん不合格で、あっというまに受験騒動は終わり、私はゆっくりと公立中学に通った。

学校の先生からそんなことを聞かれたのはこの一回きりで、それがどんなに酷いことなのか、あの先生は気づいていなかっただろうけど、今でも忘れられない出来事だ。

この、両親の姓が違う理由は父の正妻が離婚に応じなかったためで、それも子どもなりに分かっていた。軽井沢の山道を、着物姿で息を切らしながら登ってきたその人に出くわしたことがある。そのとき「あんたのお母さんは泥棒なのよ」と言われた。しかし、誰が悪い、とは考えなかった。大人の世界のこと、と理解していたのかもしれない。

もう一つ、学校の友だちに言えないのは、父が母より二二歳も年上で、物心ついたとき、すでに父は老人に見えたこと。私とは五四歳、妹とは六〇歳違う。だから、家には友だちを呼ばなかった。学校の名簿では保護者欄は母の名前になっているから、母子家庭だと思われていただろう。同級生にも母子家庭は少なくなかった。兄の同級生で父親を戦争で亡くした子が家へ遊びに来たとき「なんだ、父ちゃん、いるじゃないか」と泣くように怒った。兄はそれを印象強く覚えている。同じ仲間だと思っていたのだろう。

実はもっと誰にも言えなかったことがある。

父の先妻の一番上の息子さんは、母より少し年下くらいのおおらかな、優しい人だった。私たちを弟や妹のように見ていてくれた。その人もやはり入党していて、世田谷区の三軒茶屋に住んでいた。当時、私たちは軽井沢から上京して目黒で部屋を借りていたのだが、小学校三年か四年の頃、父に連れられて兄と共にそこに遊びに行ったときのこと。細胞会議を開いていたのだろう、大人たちが数人いた。

夕方、突然雰囲気が変わり「子どもだけ先に帰す」というような話になって、兄と二人、そこの奥さんに連れられていつもは通らない細い路地を歩いてバス停に向かった。彼女は無言で小走りに先を急ぐ。こっちも緊張しながら早足でついていった（多分、家の周りに刑事がいたのだろう）。

そのとき、後ろからサーチライトが私たちを照らした。追われている、と私は思い込んだ。あとで考えたら三軒茶屋のパチンコ屋かなにかの宣伝だったのだろう。そこまで分からない私は、「あーウチはこういうウチなんだ。世間とは違うんだ」と覚悟した。でも、それは悲観的なものではなく、それならそれでよい、という感じだった。親たちは悪くない、と。ただ、これも友だちには言えない。恥ずかしいからでなく、言っても分からないだろうから。そして、親にも兄にも言わなかった。ずっとあとになって母が大分年を取ってから、初めてこのときのことを話した。しかし、返ってきたのは「へ〜、あんたって敏感なのね」、これだけ。ま、母よりは敏感ですけどね。

両親の姓が違うのも高三のとき、同級の男子が「おれんとこさー、オヤジとオフクロの名字が違うんだよね」とコンパで言った。みんなもさほど驚かずに、聞いている。なんだー言ってもいいんだ〜ほっと安心。そんな風にして「言えないこと」は減ってきた。でも、小学生のときの、ウチは世間とは違うのだという小さな「覚悟」は一生続いて、私の真ん中にある。

軽井沢では、家の周囲が山なので、私は一人で木々の間の小道や伐採されて開けた斜面の植物と遊んでいた。いつどこで何が咲くか、それを覚えてまた次の年に発見するのが楽しみだった。妹が生まれたのが六歳のときで、二歳上の兄は小学校に通い出していたから、一人の時間が多かったし、山の中が好きだった。幼稚園は一回入ったのだけれど喋らないし、動作も鈍く、お弁当を食べるだけでも皆についていけない。先生が母にお弁当を半分にしたらどうかと言って、蓋を開けると端っこにぺちゃっと御飯が付いている弁当を持って行った。でも、きっと行きたがらなかったのだろう、じきにやめてしまった。

小学校に入っても無口は変わらず、一年の一学期の通信簿には「やっと笑いました」、二学期には「やっとしゃべりました」と書かれていた。これで、家の中ではずいぶん後までからかわれた。中学に入ってからはおしゃべりになり、あんなに無口だったのにどうしたの？　とか。そして、一人の人間が一生の内に話す量がきっと決まっているんだよ、その量が終わったときに人は死ぬんだとか、笑い話のタネだった。

2　東京へ

昭和二七年（一九五二年）、小学校二年生の一二月終りにわが家は東京へ引っ越した。目黒区の住宅街だったけれど知人の一軒家の二階二間に五人で暮らした。転校してじきに、あのまずい脱脂粉乳を飲まないと家に帰さない、と言われて、男の先生と二人で教室に残った。私は黙ったまま飲まない。先生も意地になっていたのだろう、教室で私の机の前に座ったままだ。夕方遅くまでその状態で、先生がちょっと席を外したそのすきに、私はトイレに行き、ミルクを捨てた。薄暗くなってからやっと家に帰れた。

三学期は担任が代わったし、優しい女の先生だったけれど、私は登校しようとしなかった。たぶん頭が痛いなどと親に言ったのだろう。知り合いの病院へ行くことになった。三河島というところだよ、と聞いて私は東京湾に浮かぶ美しい島を想像して病院に行った。が、実際は下町の小さな診療所だった。病院へ行ったのはその一回だけだったから、親もあきらめたのだろう。母は神田にあるロシア語関係の会社に勤めていて帰りは遅いし、父は病気がちで家で原稿を書いていた。登校を促すとか必死になるとか、そんなことは何もなく、私は家で本を読んでいた。で、憑き物が落ちたように三年からは登校した。

田舎から都会に来て気おくれがして、学校の敷居が高く感じられたのだろう。そういう子はたくさんいたのではないか。あの頃の女の子がやっていたゴムダンも跳べず、かといって仲間はずれでもなく、ゴムダンの一番うまい子が、うめちゃんはここね、とゴムを手で下げて跳べるようにしてくれた。当時は可愛い子、遊びが上手な子がスターで私は内気な目立たない子だった。学校という子どもにとっての社会で、そこに何か溶け込めないまま過ごしていた。

そして、前述した「世間から外れている」という覚悟を持ちつつ、一方で徐々に学校生活に順応していく経過があって、ジグザグしながらの小中学校生活だった。

3　高校生活・自由と自治

高校は「制服がない、校則もゆるい」と聞いて東京都立大学附属高校に進学した。附属といっても、優先的に都立大学に進めるということはなく、都立高校の一つ、という学校だ。ただ旧制府立七年制高校が新制になって、上の四年部分が都立大学、下三年が附属高校になり、それから一三年しか経っていないので旧制のときからの先生方も何人か残っていた。

その旧制以来の伝統で、「自治とは、自由とは」というテーマでクラス討論をする。一年のクラスに二年か三年の自治委員がやってきて、「自治とは何か」と演説を始める。ひどく新鮮な印象でその「自治」が飛び込んできた。ちょうど一九六〇年だったので、討論は日米安保改定問題も含み、中学を出たばかりの少年少女が幼い話し合いを続けた。国会前のデモにも生徒大会を開いて高校として参加する、そういう学校だった。

そのクラス討論にも生徒大会にも先生たちは顔を見せない。他校でいう文化祭は記念祭といって年間の最大行事だった。全クラスがクラス単位で出し物を考え夏前から準備する。たいていのクラスが演劇を選び、私は二年のときに衣装係になってモリエールの「いやいやながら医者にされ」の衣装を借りに俳優座の衣装室に行った。記念祭実行委員としてプログラムを作りに横浜刑務所にも行った。印刷代が安いからだ。横浜の南大岡にある刑務所は遠い。帰りが遅くなりもう一人の友人と財布の中を見せあったら、帰りの電車賃とラーメン一杯分しかない。ラーメンを半分ずつ食べた。

という古き良き時代の思い出は書き出したら止まらない。でも、あえて追加すると、まず、入学式だ。付属なので入学式には都立大学の学長挨拶があった。「ボーイズ　ビーアンビシャス」と始まったのでやれやれと思ったら違っていた。「普通は、少年よ大志を抱け、と言われています。大志は野心とも言える。でも、君たちにはそれを、〝のこころ〟と読んで欲しい」。

のこころ！　のこころ！　これは私の気持ちにピッタリだった。おそらく学長の矢野峰人先生（英文学者・詩人）は在野精神という意味で使われたのだろう。それは分かったし、いいぞ、いいぞと思ったが、もう一つ、幼いときから山と原っぱで遊んでいた私には〝野の心〟、と受け取れた。

それから、社会科の授業の一時間目は「君たち、原爆が広島・長崎に落とされたのは知っているよね。でも、候補地は五か所あったんだ」と、当時の子どもの常識を吹っ飛ばす内容だった。原爆投下の背景も語ってくれた。

こうして、高校に入ってから自分の心の緊張が解けて、自由に物を言い、話し合うことでお互いの垣根が低くなり、信頼感が生まれた。話し合いで決まったことを自分たちで形にしていく、まさしく「自治」であった。

自由と自治はセットである。言動の自由がなければ自治はないし、自治がなければ自由は得られない。さらに、自分たちで決めた以上、責任は自分たちにある。誰のせいでもない。

自分が世間からずれているという感覚を、植物でいう種だとすると、高校で学んだ自治と自由は種の外の皮のようなもの。なかなか剝がせない。今も私の中心にある。

しかし、私が思っている以上に自由と自治は世間の受けが悪い。勝手気ままと受け取られたり、自治なんて自治体か？　と思われたりする。話し合いなんてメンドくさいのだろう。大多数の「世間の人々」には太刀打ちできない。

4　世間との距離

世間という言葉、概念はまことに妙である。普段は私たちは世間の一員であるし、それを当たり前だと思っている。しかし、ひとたび何か問題を抱えると、世間から外された、外れたと思う。殆どの親は「世間に対してみっともないマネはするな」と子どもに教える。常識だったり、流行だったりするが、時には「挙国一致」だったりする。今風に言えば「同調圧力」だろうか。

なぜ、唐突に挙国一致と書いたかというと、戦時中と戦後の変化を考えざるを得ないからだ。

なぜ、父が捕まったのか。そのとき、世間の人々はどうしていたのか。そして、戦争が終わった時、人々は戦争は悪だ、二度とやってはならない、と声高に言い始めた。「みたーび許すまじ原爆を」という歌を聞いたとき（聞かれなくなって半世紀以上になるが）、私は一度目と二度目をなぜ許したのか？　と思った。

キューバ革命からわずか半年後の一九五九年、当時の政府を代表してゲバラが広島に来た。原爆慰霊碑の説明を受けての言葉が「主語がない」だったという。「誤ちは繰り返しません」、誰が誤った？　誰が繰り返さない？

原爆を落としたのはアメリカである。

日本に勝つためではなく、ソ連に対抗するためだ。

誤ちがあったとすれば、それは、もっと早く戦争を終わらせなかったことだ。

まさしく、主語がなくても成立する日本語は、責任をあいまいにするときに便利だ。

子どもの頃から、戦争に反対する人たちに対して、いつも「じゃあ、あなたはその時何をしてたの？」と心の中で悪態をついていた。大人になってからも、それはあまり変わらない。

じゃあ、戦争に向かう時、私はどうするか？

戦争の被害を忘れてはならない、風化させてはならない、それはそうだけれども、あの時、誰も加担しなかったのか？　戦勝のニュースに歓喜していなかったか？　反戦を訴えている人たちや、その子どもたちを「非国民」と呼ばなかったか？　こういうことは、歴史の教科書で読むとピンと来ないが、小説の中で描かれていると、ふーん、なるほど、と情景が見える気になることがある。

例えば映画にもなった中島京子の『小さいおうち』（文春文庫）では、ぼっちゃんのお友達のセイちゃんが遊びに来なくなる。


「セイちゃんは、どうしたんですか？」

と尋ねると、ぼっちゃんは不愉快そうにして、

「セイちゃんとはもう遊ばないんだよ」

と口を尖らせた。

「あら、喧嘩しちゃったんですか？」

「そんなことはしないよ。もう、遊ばないだけだよ」

「喧嘩じゃないのに、遊ばないんですか」

「セイちゃんのお父さんは、敵のスパイだったんだよ。この間、警察が来て捕まえて

いったんだ。だからもう、セイちゃんとは、遊ばないんだよ」

ここでなるほどと思ったのは、お母さんに言われて遊ばなくなったのではなく、子どもの判断として、遊ばないと決めたらしいこと。子どもたちは、大人以上に「愛国心」が燃え上がってしまう、十分あり得ると思った。学校で教わった影響もあるし、時代の空気を敏感に読み取る力が子どもにもあるのだろう。

小説の終わりのほうで、セイちゃんのお父さんはスパイではなく職場の同僚から預かった荷物の中に、非合法活動の証拠があった、とその理由が触れられている。

これに似たようなことは全国あちこちであっただろう。そこまでいかなくても、出征軍人の見送りや、向こう三軒両隣の活動、モンペをはくかどうかエトセトラ。日常の中に無数の〝挙国一致〟がある。

そういう時の「世間」に距離を置けるのか。普段以上に人目を気にしなければならないのが「戦時中」の特徴だと、私は思っている。

私の母はモンペをはかなかったらしい。大丈夫だったの？　と聞いたことがある。うん、同じアパートに仲間がいたし、ずっと妊娠中だったから誤魔化せた、と笑っていた。

母にしてみたら、自分が逮捕されたときに厳しい拷問を受けている。人の目なんか今さら何でもない、という気分だったかもしれない。

この『小さいおうち』には戦時下の暮らしが具体的に描かれ、しかも「国威高揚」の様子が抜け落ちていないので、読み応えがあった。小説家の力だと思った。

私が一〇年くらい早く生まれていれば「うめちゃんとはもう遊ばないんだ」と、友だちに言われていたかもしれない。私にとって、他人事ではないシーンだった。ついでに言うなら、そのとき、誰か一人でも「うめちゃんは悪くないよ。今までどおり遊ぼうよ」と言ってくれたらと願っている。

鶴丸さんと話していた「私のことは私が決める、私たちのことはわたしたちで決めよう」は、こうした世間との対峙、距離感を常に意識しないとできない。簡単に飲み込まれてしまう。それを改めて意識したのが新型コロナの流行だった。それはちょっと置いて、もっとずれていった学生時代について触れておく。

5　進路・医学部へ

高三の時はジャーナリストになりたくて、といってもイメージしていたのは国際事件記者（勝手な造語）なのだが、文科を受験し予定通り浪人になる。私の高校は受験優先ではなかったので一浪が当たり前だった。我が家は私立大学進学は望めないけれど、予備校代一年分なら出せる程度には経済状態がよくなっていた。

そして浪人中に友人から借りたクローニンの『城砦』（新潮文庫）という、医師による自伝的な小説を読んで志望を医学部に変えた。その小説のどこに惹かれたのか。

舞台はイギリスで主人公は医学部を卒業した後、炭鉱の町に赴く。そこでは貧しい炭鉱労働者が肩を寄せ合うように劣悪な環境で暮らしていた。水道はなく、ポンプ三本で水を汲み上げていたが、一本は壊れている。そしてまもなくもう一本が壊れた。役所に何度かけあっても無視され続けている。新米の医者は怒りを隠せないが、そのときに以前からそこにいた大酒飲みの年寄りの医者に夜、来るよう言われて一緒に現場に行った。すると、手伝えと言われて、みるとダイナマイトを仕掛けるのだった。最後のポンプを爆発させ、やっと役所が動き出す。

医学部志望に変えたきっかけは、多分、これだった。これだけで、進路を変えてしまった。合格の可能性とかを考えもせず、医者ならどこへ行っても面白いことができそう、それだけで決めた。それからは猛勉だが、運良く合格できてよかった。

入学してからは早速、医学部の「社会医学研究会」に入り、当時大きな問題になっていた公害の現場に行った。入学は一九六四年、東京オリンピックの年。同時に高度経済成長だかなんだか、道路も建物もみるみるうちに古いものが壊され、町の風景が変わっていった。働く人も地方から東京へ、どれだけの人が移動してきたのだろう。私が見たのは都内の化学工場から近くの川に流れ込んでいた真っ赤な排水、川崎の工場の煙突から出る黄色の煙……どうしてこんな鮮やかな色になるのだろう?

もう一つ入った「婦人問題研究会」では、女性史を学ぶ傍ら、女性の働く工場へ行った。目黒区内でも大きな電機工場があり、若い、おそらく中卒の女性たちが大勢住み込みで働いていた。

6　医学部のストライキ

そして医学部へ進学し、自治会活動に参加する。医学部では数年前から「インターン制度廃止」を要求する医学連（全日本医学生自治会連合）の活動が盛んだった。インターン制度は医学部を卒業しても医師免許をとれず、一年間は研修という名の無給労働を強いられる制度だった。長年、厚生省（当時）に陳情を続けても変わらない。反対運動も拡がっていた。

当時は全国すべての大学医学部に自治会があり、医学連に参加していた。大きな抗議集会には全国から都内に学生が集まってデモを繰り返していた。その初参加の四月末の厚生省デモで、私は崩れた隊列の下になり、一時意識不明になった。結局は鎖骨骨折だけで済んだのだが、これで夏まで学校は欠席……。

一九六七年には佐藤訪米阻止羽田闘争に参加。一〇月八日の第一次羽田闘争では京大生山崎博昭君が殺された。このデモは初めて学生がゲバ棒（単なる角材だが）を持った、ということであらゆる方面から非難を浴びた。そして、一一月の第二次羽田闘争で私はまたも逃げそこなって機動隊に頭を殴られ、血をつけたまま帰宅。一〇月のときには私を非難していた両親もこれには衝撃を受けたらしい。風呂も洗面所もないから台所の流しで、母は何やら怒りの言葉をつぶやきながら、丁寧に私の髪の毛を洗ってくれた。

翌一九六八年一月に東大医学部は研修協約闘争でストライキに入る。世間では誤解されているが、一部の学生が勝手に大学封鎖をしたのではない。前年もインターン制度に代わる研修制度を見据えて、卒業する世代が卒業後にどこで研修するか、学生の希望を入れてほしいという要求をかかげてストライキをして、一か月で要求通りの回答を得ている。この年も大学と病院は学生の要求に対応しない。それで、一学年約一〇〇人、四学年で四〇〇人の学生による学生大会で賛成多数でストライキが決まったのだ。

教授会が団交に応じないので、何回も面会を要求し、医局のスタッフと揉めて医局長に謝罪を求めた〈事件〉で退学・停学・戒告処分が出た。その中の一人が当日不在だったことから誤認処分だ、処分撤回だと、私たちの要求が広がり、報道されるようになった。私自身も停学処分を受け、どうなるんだろう、くらいの気持ちだったが、翌月から日本育英会の奨学金がピシッと止まったのには驚いた。どこで聞いたの？　さすがの事務組織である。

そして、卒業式、入学式で全学に訴えたが大学側の反応はなく、長引くストライキに危機感を持った学生たちが、六月一四日、一斉に各クラスに登場し、一斉に闘争委員罷免動議を出して、あっというまに私たちはクビになった。周到な準備をしていたのだろうが、おめでたい私はこれを察することもできなかった。その夜、一五日未明に医学連の学生たちと安田講堂を封鎖。これが殆ど忘れられている「第一次時計台封鎖闘争」であり、私にとっては学生時代の最大のイベントだった。

すぐに大学は手を打ち、一七日未明に機動隊導入。たった数十人の学生を排除するために、頑丈な濁った灰色の装甲車が龍岡門から何台も何台もガラガラと入ってきた。私は逃げた先の大学病院の屋上からテレビを見るようにこれを眺めていた。

7　機動隊導入

機動隊導入！　大学の自治はどうなる！　長年のタブーはいともあっさり破られて、大学批判が全学に広がった。当時は他の多くの大学が学費値上げ反対や学生自治を要求し、ベトナム戦争反対、日米安保反対と市民、学生が街頭に繰り出していた。ストライキ、バリケードは広がり、大きなうねりになっていく。

私の周りも党派に入る人がいる一方、実家に帰ったきり戻らない人もいた。一人ひとりの人生が変わっていった。そして、一九六九年一月、秩父宮ラグビー場で加藤一郎総長を中心にした大学側の闘争収拾宣言に至る。私も仲間と駆けつけ、中には入れたが、機動隊に囲まれて反対側の観客席から一歩も動けない。同じグラウンドなのにずっと遠くに見えた。あー終わったんだ、と力が抜けたのを覚えている。

そして、テレビを賑わせた安田講堂攻防の一月一八日、一九日を迎え、大勢が怪我をし逮捕され、以後は救援活動へと移って行った。絶対にない、と思っていた東大入試中止が現実になり、急速に秩序が回復していく。処分撤回を受けて、ある日一年分の奨学金がまとめて支給された。ちょっと嬉しかったけれど、あぶく銭のように思えて、普段は買えないスーツを買ってしまった。

8　闘争終了のあと

その頃、私は党派の端っこについていたが、組織の中には入る気にならず、逮捕された人たちへの差し入れなどをしていた。そして当時つき合っていた別の医大生との間で妊娠がわかり、〝できたからには産むしかない、産むからには結婚しよう〟と考えて、一九六九年秋に長女を出産した。

一九七〇年一月から一年下の学年に下がって授業に復帰した。復帰したとは言っても我が家は老親二人、学生が私たち夫婦と妹の三人、そして赤ん坊だ。生活費を稼ぐのが第一。ギリギリの授業出席でアルバイトを確保した。次の年には父が倒れ、母が看病に専念して、娘を保育園にお願いした。保育に欠ける条件満点で、即入園できたのは幸いだった。

復学後二年間、大学は大半は沈静化したが、院生の闘争、臨時職員の闘争、精神科の病棟自主管理など地道な活動が続き、私もそのしっぽについていった。

この時期、小さな娘を連れてあちこちの集会にも顔を出した。リブ、水俣病、留学生問題……。

しかし、どこに行っても私は当事者ではなく、その場にいるだけでも気が引ける気分だった。私は一体何者？　何をしている？　私が当事者であるとは何だろう。医者であること？　それでは利益追求にしかならないのではないか？　そんなモヤモヤを抱えたままだった。

一九七二年春になんとか卒業してなんとか国家試験に合格。小児科に入局し、研修医となった。免許を取ったから研修期間は医者のアルバイトができた。先輩のいる病院の小児科外来診療の他にも仕事を探した。当直していた病院では病室に一〇人くらいの高齢の患者さんがすきまなく並べられたベッドに横たわっていた。

ある晩看護婦に「危篤です」、と呼ばれていって、九五歳のそのおばあさんに心臓マッサージをしながら、当時のルーティンだった心臓内に強心剤を注入しようとした、その時、四方から声と手が伸びてきて「可哀そうだからやめて」と言われてハッと気づいた。静かに見送らなければいけないんだ、と教えられた。

他には血液銀行のバイトもした。売血制度がまだ残っていた時代であった。顔色の悪い若夫婦がよく来ていた。貧血で働けない、だから血を売る、という悪循環にはまってしまったようだ。〝今日は血が薄いから無理です〟と言っても〝買ってくれ〟と粘る。売血制度の現実を目の当たりにして、一緒に働いていた看護婦と、「売血反対!」のビラ撒きをしてこのバイトは終了した。

9 地域医療

そして、やっと二八歳で就職。それが東京西部の公立病院で、三年間修業し、その後地域医療を目指して新潟の農村へ行った。自分は何者なのかというモヤモヤはとれていないけど、当事者ではなくても、近い場所にいようと思った。当時勢いのあった「地域医療」という言葉に惹かれた。簡単にいうと〝地域に出ていく医療〟である。「地域医療」は当時は長野県の佐久総合病院の実践に代表される「農村医療」のイメージだった。大学の先輩である黒岩卓夫医師も新潟県大和町で予防医療と共に始めていた。私は小児科、夫は外科担当で町立大和病院に赴いた。

私自身、農村医療そのものに関心があったわけではないが、それでも、医者という立場からずれてみなければ、現実はわからない。白衣を脱ぎ、地域の人々にまぎれる位置に自分を置こうと思った。

結局、新潟で四年弱過ごし、その後一九八〇年に千葉県の我孫子市で夫婦で病院を開設したが、いろいろあって三年後に離婚し、四人の子を連れて松戸市で開業した。母が家事を引き受けてくれ、薬剤師の妹が薬局と経営を引き受けてくれた。個人開業したために、自由の身になって地域の人たちと出会い、出会える機会を作り、活動できたのは周囲の協力が大きかった。子どもたちにはおそらく迷惑だっただろうが……。

こうして振り返ってみると、なんともおっちょこちょいな姿である。先のことを考えもせず、という繰り返しだった。他人の評価を気にしないからかもしれない。のちに鶴丸さんからは「うめちゃん、軽いのよ、あなたは」と叱咤され、西村からは「おぬしはいろんなものに守られているなー」と言われた。東大闘争などとかっこつけていても、釜ヶ崎や山谷にいた彼からは、それは「坊ちゃん嬢ちゃんの遊び」と揶揄されても仕方がない。

10　アブー・ハーンの山羊

思うに、子どものときからの〝私は世間からずれている〟という自覚のせいか、小学校でも中学校でも記憶に残っているのはクラスの中でちょっと皆と違う子のこと。小学校では膝が悪いために体育の授業を全部見学していた男の子がいた。欠席も多かった。それで折り紙や、あやとりが得意で自分でも新しいものを考えてくる。休み時間にはよく教わった。

中学では不良少年がいた。お父さんがいなくてお母さんがバーを経営し、おばあちゃんが面倒を見ていた。かけっこが速くて人気者ではあったが、盗みをしたり同級生の家に行って頼まれたからと、親をだましてお金を貰ってしまう。もっといろいろやらかしたのだろう、警察沙汰を繰り返した後、東京練馬の少年鑑別所に入った。

出所が決まったとき、先生の、「桝本《ますもと》、お前が隣に座れ」との指示で隣になり鑑別所の話を聞いた。まだ流行していなかった「練鑑《ねりかん》ブルース」を教わったのが懐かしい。「歩く姿は軟派でも、心にゃ硬派の血が流れてる」そうだ。彼は中学を出てすぐに真っ白いスーツを着ていたとか、早く結婚したとか、極道に近いとか……噂がいくつかあった。どうしてるかなぁ。

普通と違うことをやってしまう、ダメと分かっているのにやらかす、そういう人に共感してしまう。「今、ここ」に安住できなくて何かを求めてしまう私。

上から押し付けられたり周囲の視線が厳しいとかえって反抗してしまう、そういう生き方がいいなと思ってしまうのだ。

本当は誰でも心の中に反抗心があると思う。結果を読むより、思わず立ち上がってしまう瞬間があると思う。

長くなるが、以下の物語を読んでいただきたい。

ウルドゥー語を勉強しているときに、ある教科書を読んだ。大学書林発行『基礎ウルドゥー語読本』。左側のページにはアラビア文字のウルドゥー語、右に日本語の訳がついている対訳本である。初級だから短い話が殆どで、最後に長い話がのっていた。要約すると次のような話である。

題は「アブー・ハーンの山羊《やぎ》」

ヒマラヤの山中に山羊の好きなアブー・ハーンという旦那がいた。家族はなく、山羊に話しかけ夜は家につないでおく。しかし、どの山羊も綱を切って山に逃げてしまう。あるとき、真っ白い可愛い山羊を手に入れて大事に育てた。チャーンドニーと名付けたその山羊に上等な餌を与え、檻の中では窮屈だろうと畑のまん中に杭を立て、自由に歩きまわれるよう長い綱で縛った。かなりの時が過ぎ、もう逃げられないだろうと、アブー・ハーンは信じた。しかし、自由への欲求はそう簡単に心から消えるものではない。ある早朝、まだ太陽が山の後ろにあったとき、チャーンドニーは気づいた、あの山の頂は何て美しいのでしょう、空気もくらべものにならないでしょう。この考えが浮かぶや、チャーンドニーは元のチャーンドニーではなくなった。気配を察したアブー・ハーンが山には狼がいて、わしの山羊を何匹も食ってしまったんだ。行くのはダメだ。わしはお前を助けるぞ。そして、小屋に閉じ込め鍵をかけた。しかし、窓からチャーンドニーは逃げ出した。

山に着くと木々も花も山全体がチャーンドニーを喜んで迎えているようだった。岩から岩へチャーンドニーは跳びまわり、下に見えるアブー・ハーンの家を眺めた。あんな小さな囲いの中にいたなんて。昼過ぎ、他の山羊の群れを見かけた。彼らはチャーンドニーを呼んだ。しかし、もう群れには戻らない。

夕方、風が冷たくなり、暗くなってきた。そして山の中からホーホーと狼の声が聞こえる。下からはアブー・ハーンの必死の笛の音がする。戻って来い、と。チャーンドニーの心に戻ろうという気持ちも浮かんだ。しかし、すぐに杭と綱を思い出した。後ろからは二つの耳と二つの光る目が近づいてきた。狼は急ぐことはなかった。チャーンドニーは頭を下げ、角を前に向けた。彼女は自分が勝てないのは知っていた。ただ、自分の分に応じた戦いをしようと望んでいたのだ。そして、狼がハッとするような攻撃を何度も重ねた。夜中が過ぎ、星たちが一つ一つ消えていった。チャーンドニーは最後に自分の力を二倍にした。狼はうんざりしてきた。下の村からはアザーンの声が聞こえてきた。

彼女は祈った。アッラー、あなたに感謝します。私は力一杯戦いました。今はあなたの御心のままです。アザーンが終わるとき、チャーンドニーは息絶えて地面に倒れた。

木の上では小鳥たちが誰が勝ったのか議論している。誰もが狼が勝ったと言っている。一羽の年取った小鳥だけが言い張っている。「チャーンドニーが勝ったんだよ」。


このテキストは長いせいもあるが、私はウルドゥー語のページは読まず、右ページだけを繰り返し読んだ。チャーンドニーの生き方を肯定した小鳥がたった一羽しかいなかったのは残念だけど、これが現実かもしれない。

これを読むと山岳少数民族が度々大国の侵略を受けてきた歴史を思わざるを得ない。二〇一一年一〇月、アメリカがアフガニスタンを「アルカイダをかくまっている」という理由だけで攻撃したとき、私がアメリカを非難したら、ナワーズはきっぱりとした口調で、「うめさん、私たちは何十年も戦い続けているんです」と言った。「アブー・ハーンの山羊」は彼らのような人々が、口から口へと伝えてきた物語ではないだろうか。

附章　追悼・西村光夫さん／ごんべえ

心の襞《ひだ》、という言葉がある。
もし本当にあるのなら、ごんべえ（西村光夫さん）の襞は、ゆうに二〇枚は超えるだろう。

陽気で、人を笑わせることが好きだった。
がっしりした身体で力も強かった。
腕相撲は日本人には負けなかった。
空手が得意だった。
努力家でウルドゥー語も独学で身につけた。
目上の人には丁寧で礼儀正しかった。

しかし、時々襞の奥のほうから、いろんなものが不意に顔を出す。
怒りや哀しみ。
人に期待しては手のひらを返された落胆。
大勢で楽しく過ごしているときに感じる淋しさ。

甘え。
気にしていないように見せて気にしている繊細さ。

急に怒ったり、どこかへ行ってしまったり。
パーティーの場ではせっかくのご馳走に手をつけなかった。
ややこしい、めんどくさい奴だった。
襞が二、三枚しかない私は彼を理解するのに何年もかかった。

現代詩が好きで、
「詩ってなに?」と聞くと
「言葉にできないものを言葉にするんだ」と言う。
おそらく、詩の行間にさまざまな想いを巡らせていたのだろう。
一人称はワシで、二人称はオヌシだった。
使う言葉は今風でなく、省略語も使わなかった。

日本語は九州なまり、ウルドゥー語はパシュトゥーなまり。
高校生たちの中にいても、若者言葉はうつらなかった。

本屋に行こう、といえば古本屋。
ずっと家作に住んで、トイレは汲み取り式。
掃除機は持たず、箒と雑巾。
食べるものの中心はインスタントラーメン。
私利私欲とは無縁だった。

ごんべえと少しでも付き合ったことのある人は
この癖のある人を、あり過ぎる人を、
きっといつまでも忘れられないだろう。
みんなの心の中で生き続けていくだろう。

だから私も、追悼、という気持ちにはなれない。
今もアジアのどこかで、とぼけて生きているだろうから。
かといって、ふさわしい言葉が見つからない。
仕方がない、ここは世間のならいに従って、
追悼、と言おう。

追悼　西村光夫さん

ごんべえ

語り　西村光夫
聞き書き・構成　ますもと　うめ

二〇二二年一〇月

ごんべえは
駆けた　駆けた　駆け抜けた

ワシは九州男児だぞ
ワシには薩摩隼人の血が流れているんだぞ

歩けないから車椅子
トイレに間に合わないから紙オムツ

手がふるえるからストローで水を飲む
こんな老後、考えたことあるか?
オナゴの手を借りて介護ベッドから起きる
車椅子のままテレビを見てプリンを食べる
いやだ　いやだ

このオナゴも年老いてきた
もう少ししたらワシのメンドウもみられないだろう
そうしたら?
老人ホーム?
いやだ　いやだ
もう施設はこりごりだ
いっそ道端に捨てておいてくれ
でなきゃ部屋に寝ころがったままにしてくれ

メシもいらん
ほっといてくれ

そろそろ頃合いだな
しかし痛いのはイヤだ、苦しいのもイヤだ

そのとき
ワシの脳が応えてくれた
脳幹部の呼吸中枢が不意に働きを止めた
くっと息がとまった

発病から六年
紙オムツをして半年
車椅子になって一か月

駆け抜けて、通り抜けた

ワシのことはワシが決める
この世はもういい
大空へ飛んで行こう
大好きだった入道雲のまん中へ
飛び込んでいこう

記憶が少しずつ失われ
自分が今どこにいるかはっきりしない
やるべき仕事があったはずなのに
それもあいまいになってしまった
でも、心に引っかかっている大事なことがあるアイツはどうしてる?
死んだ?
ワシに言ったか?
もちろん言ったよ。何度も言ってるのに忘れてしまうの
死んだのかー
墓参りには行ったか?
行ったよ。二回行った
そうか。そうか
でもまたみんなで行こうな
あいつのところには行かにゃならん
明日の予定は?
朝のゴミ出しかな
よし、ワシがやる
ゴミ出しくらいしか仕事は無いのか?

うん。無職の老人なんてそんなものよ

世の中を変える仕事はどうした?
組織?　選挙?　違う違う
あるはずだけど、それが何か、何なのか
わからないまま、これではない、これではないと思いながら
駆けてきた七十年余
世の中は少しは良くなっているのか?
いや、全然。子どもへの虐待も、自暴自棄の事件も、一人で孤独に死んでいく人も
世界を見れば戦争があり、内戦があり、難民になった人々が道端に列を作っている……

七二年前、昭和二四年一〇月、
赤ん坊のごんべえは海岸の松林の中に捨てられていた。
ほとんど人の通らないところだった。

よほど大きな声で泣いたのだろう。

漁師のおじさんが見つけて警察に届けた。

こうしてごんべえの施設暮らしは始まった。

乳児院から養護施設へ。

施設には三歳から一五歳まで三〇人余り。

多くの子には片親でも親がいたし、祖父母がいた。正月には帰る家のある子が多かった。正月にも施設で過ごしていたのは、ごんべえたち三、四人だけだった。

五歳くらいまでは、それがフツーと思っていた。


やがて気がつく。

ワシらはほかの子どもと違う！

家庭がない！

学校へ行けば「しせつのこ、しせつのこ！」とはやしたてられる。

なに！　なんだ、このやろう！

小さな身体で跳びかかっていった

かなり年上の戦争孤児の子たちがうらやましかった。
ワシらは親がいないだけじゃない
子どもを施設に預けるなんて、どんな親なんだ
きっとロクでもない連中に違いない。
その子どもなんだから、あの子たちにも悪い血が流れているだろう
ワシらは二重に軽蔑されていた。
ワシが色白なのも災いした。夏、短パンになると特に目立った。
親は誰？　と聞こえるような気がした。
でも戦争孤児の親は非難されない。
子どもは親を誇りに思える。
なつかしく思い出される親がいる。
施設の中でもきちんと勉強していた。

ワシらが悪いのか？

何か悪いことをしたのか？

理不尽なものへの怒りが心の底から湧いてくる。

勝ち負けは考えもせず、からかう友だちに体当たりした。

かなわなければ棒でも石でも手に持った。

遠足にカメラを持ってきて自慢し、ワシだけ写さなかったヤツがいた。ワシはそのカメラを奪い、散々踏みつけてから砂に埋めた。

喧嘩をしてその場では勝ったと思っても、すぐ後からその子の兄さんや仲間がやってきて結局ボコボコにやられる。施設に帰れば職員から散々叱られ、殴られる。それが分かっていても、また喧嘩を繰り返す。


小学校の高学年になると脱走だ。

親の家などない、おばあちゃんの家も親戚の家もない行くあては一つもないのに、「ここはイヤだ」と心が叫ぶ。学校からの帰り道、施設への道をはずれる。川にかかる長い橋を駆けて町の中へ。

（ん？　町はずれでなく？）

とにかく腹が減るんだよ。デパートの地下でサンプルの食品を手当たり次第口にしてそれからチラシを何枚か持って屋上へ。チラシで紙飛行機を折っては空にむかって飛ばすんだ。いくつもいくつも。あの時のあの時間……自由だった。

勿論、じきに警察に通報され施設の先生が迎えに来る。待っているのは折檻だ。行くあてもないのに脱走してたのはワシくらいだな。そもそも脱走を繰り返す奴なんていなかった。

でも、そんなことばっかりあるわけじゃない。

施設での暮らしは規則があり集団で動く。起床、食事、集団登校。当時は個室は無く二段ベッドがいくつか並んでいて個人の物は小さなロッカー一つに収める。

学校が終わったらまっすぐ施設に帰る。作業がたくさんあるからだ。

（作業？　どんな？）

まず建物が古いからお父さん（施設長をお父さんと呼ぶ）を手伝って修理や掃除をする。庭の草を抜いたり垣根を直したり。風呂の焚き木も作る。それから毎日飼っている鶏の世話。卵を取るためのニワトリだ。

（卵！　良いねー）

いや、ワシらが食べるんじゃない、売って施設の経費にするんだ。そういえば大根もたくさん干したなー、近くに沢庵を作っている工場があった。

朝夕の食事は無論豊かではなくいつも腹を空かせていた。給食が無い日には麦飯に沢庵、というような弁当を持っていくんだけど、クラスにはそれさえ持ってこられない子もいた。一度「施設に来いよ。食べ物はあるぞ」と誘ったことがある、とごんべえは笑っていた。

自由な時間が無いだけでなく、自由になるものも少なかった。学用品も衣服も寄付されたものや上級生のお下がりを使う。今と違って昭和二四年といえば戦争の影が色濃い。その施設も終戦直後に戦争孤児のために作られた公立の施設で、経費は不足しがちだっただろう。

たまに施設の外に出るのは、保母さんが代わる代わる子どもを自分の家に連れて行ってくれるとき。よく覚えているのは保母さんの家の近くにまっ黄色の菜の花畑が広がっていた風景。家の中に入ると奥の襖で半分隠れた暗い部屋に布団が敷かれ、おじいさんが寝ていた。おそらく身体が不自由だったのだろう。小学生のごんべえは菜の花よりも強い印象を受けた。

もう一つのチャンスは一日里親だ。

二、三人の子が、ある里親の家に一泊する。朝早く目が覚めてしまい、何をしていいかわからず隣の部屋をのぞいたり、うろうろしていた。「何してるの？　盗んだりしちゃダメよ！」。はなから疑われ心がひしゃげた。

またあるとき広いテーブルに何人か並んで食事した。おやつのプリンが配られ隣の子との間に置かれた。何気なく右のをとって食べたら、それは右隣の子のだった。即座に「欲張り！」と里親の声が飛ぶ。それ以来プリンを食べる気にはなれなかった。

私物がないから、もちろん小遣いはない。

中学になると夏休みに学校の友人と外に出て良い、という日があった。

みんなそれぞれの小遣いでアイスを買う。でもワシは持っていない。我慢しようとしていたら一人の子が買ってくれた。南国の暑い日差しの中、遠慮していたら溶けてしまう。溶けかかったアイスキャンディーをいそいで口に入れたのがなつかしい。惨めな気持ちが一瞬で溶けていくようだった。


施設での教育の考え方ははっきりしている。

社会に出てまともに働く人間になれ、お前たちは社会のお世話になっているのだから。

そして、家庭の味を知らないからと、施設の中で家庭と同じようなしつけをする。社会に出たときに恥ずかしくないよう、施設育ちだとバレないよう、馬鹿にされないようにするんだ。

（でも実際はそんなお行儀のよい子はいないよ）

それは外へ出てわかった。でも子どものときはそういうのが家庭なんだと思い込まされる。

例えば、施設の食器は陶器じゃないのでお椀なんかが熱くて持てない。それで左手の三本の指ではさむようにヘリを持つんだ。それをやると施設育ちがバレるから、そとではやっちゃダメ、ときつく言われる。

（ああ、それ私も熱い時はやるなあ）

そんな生活のなかでワシは施設の子の中では成績が良かった。少しできると先生にほめられる。それが嬉しくてまた勉強する。体育も好きだった。かけっこも速い方だったし、相撲も強かった。小学校で一番強かったんだ。相撲取りになろうかと本気で思った。あの頃、弾丸房錦が好きでなあ。学校で「房錦物語」という映画に連れて行ってもらったんだ。お父さんが行司でね。

でも、東京からきた転校生に負かされた。第一、施設の食事じゃあ太れないよ。勉強をしたいけど、夜は消灯時間が決まっているから朝早く起きて勉強した。相撲もケンカも勝ちたいから庭の太い木でテッポウを繰り返した。

成績が良かったために毎年クリスマスに地元の篤志家、ライオンズとかロータリーの人たちかな？　が施設に来て子どもたちにプレゼントをくれる。そのとき、代表でお礼を言うんだけど、五年くらいのときかな、それを投げ返したんだ。

なにもかも頂いてお礼を言い、お辞儀を繰り返してお利口さんにしていなきゃならないのか？　なんでだ？

違う！　ワシらは頼んでない！

あれはワシの自立宣言だった。

そのあとどんなに怒られたか、覚えていない。

上級生になるにつれて脱走は減ってきた。喧嘩はしていたけど五年のときの担任の池田先生が、「黒田、お前が怒るのはわかる」と言ってくれた。この先生のおかげで自分を保てた。「しかし正義感が強すぎるのも問題だぞ」とも。

中学に進むとテストの成績の上位者の名前が廊下に張り出される。なにしろ団塊の世代だ。四〇〇人以上いる中で五〇番くらいだと鼻が高い。誇らしい気持ちになる。施設の子だと分かると、黒田！　頑張れよ！　と目を潤ませる先生もいた。内心、この先生勘違いしてる、と思いつつも悪い気はしない。

しかし、施設に居られるのは中三までだ。卒業後は誰もが住み込みの仕事や寮のある工場へ出ていく。中には労働力として実の親が引き取りに来る子もいる。中卒で就職するのは珍しくない時代だ。地方から都会へ集団就職する子どもたちが金の卵ともてはやされた。だから自分もそうなるだろうと覚悟はしていた。

小学生の頃から、施設に今でいうボランティアに来ていた人の中に西村さんという男性がいた。時々外に連れ出してくれて、いろいろな話をしてくれた。

鹿児島出身の西村さんは「いいか、ワシらには薩摩隼人《はやと》の血が流れているんだ」と右の人差し指で左の前腕にすじをつける動作で教えてくれた。その西村さんが中学卒業が近づいた頃「高校へ行きたいのか？」と聞いてくれた。頷くと、「それならウチに来い。高校でも大学でも行かせてやる」と。

西村さんは謹厳実直という印象で、多くは語らないが、社会事業家で神戸の生協を始めた賀川豊彦さんを尊敬していた。それで西村さんの家ではワシは豊彦と呼ばれていた。二歳下に実の息子がいたので奥さんも親戚の人たちも、ごんべえを養子に迎えるのには賛成していなかったらしい。

（多分、西村のお父さんはごんべえを見込んでいたんだね……）

そうかもしれない。でも、ワシが高校二年になってまもなく交通事故で亡くなってしまった。だから親戚の中ではワシを追い出せ、という意見も出たらしい。でも、奥さんが味方してくれた。だからワシは学校へ行きながら酒屋の配達や新聞配達などいろんなバイトをした。部活も一時ブラスバンドでフレンチホルンを吹いていたが、続けられなかった。小遣いも断って少しでも家計の足しにしようと思ったんだ。奥さんはもっと甘えていいんだ、と言ってくれたけどね。

（それじゃ、映画の『ロングウェイホーム』の主人公みたいだね）

西村さんにはどういっていいか分からないくらい感謝している。でも、お父さんお母さん、とは直接呼べなかった。西村さんと西村さんの奥さん、だった。

高校生活で一番驚いたのは級友がみなおおらかだったこと。意見も言い感情も出して素直に自分を出していた。周りの思惑などたいして気にしてないように見えた。それが羨ましかったなー。ワシが施設にいたことを知らない子も多く、視線を気にしないで済んだ。施設にいたとき、お父さんは施設長だったけど、お母さんにあたる人はいない。せっかくなついた保母さんも二、三年で辞めていく。そもそも自分一人のためにいるわけじゃないから、なかなか独占できない。まず自分からアピールしなきゃならないんだ。愛嬌を振りまいたり、逆に暴力的になって注意を引く。小さな芝居を打って反応をみる。楽しみでもあるし怖くもあるんだ。普通に要求しても欲しいものは手に入らない。それが保母さんの膝だったりオンブだったり……風邪で熱が出るとワシは一人で面倒をみてもらえる。めったに熱が出ないのが残念だったな。あるとき虫歯が痛んで訴えたけど、我慢しろと言われ歯医者に連れて行って貰えなかった。その結果下あごが大きく腫れ、県立病院で顎の骨まで炎症が広がっている、と手術を受けた。そのときレントゲンを撮ると言われて怖くなり病院から逃げようとしたんだ。そのときの手術の傷は今も残っている。

だから、高校ではいろいろ考えた。

とにかく卑屈にはなるまい。なってはいけない。

かといって、人を押しのけて上に行こうとはしない。

それが実は難しい。じゃ、自分はどこにいる？　どこで何をする？

ずっとあとになって高校の同級生だった人が西村は高校のときはおとなしかった、大学に行って変わったなあ、と言っていた。さほど自覚はしていなかったけど、緊張や不安がつきまとっていたのだろう。


高校から社会福祉推薦枠で、幸い上智大学に入学できた。学費だけでなく寮に住めば家賃も食費もかからず、いくらかの生活費も出してくれる。しかし数か月で、やはりというべきか寮を出てしまい、アルバイトをしながら安い下宿に住んだ。

時は一九六八年。大学に入ってすぐに時代の雰囲気を感じ取った。社会福祉学科の先輩で「初めてあんなに沢山本を持っている人を見た」という出会いがあり、影響を受ける。実習で山谷に行った。当時は家族で暮らす日雇いの人たちがいて、学生たちは山谷子供会で活動した。この時古新聞を集めて子供会の費用にしようと、近隣を回っていた。ワシが走りながら両手に持ちきれないくらいの新聞の束を抱えているのをみた子どもたちが「鴨取りごんべえだー」と喜んだので、ワシは「ごんべえ」になったんだ。

のちにユーズリサイクルセンターをやっている頃、知り合いの女子高生が「おじさん、なんでごんべえっていうの？」と聞いてきた。ごんべえがちょっとドギマギして「学生の時東京の山谷っていう町で云々」と話し始めたら、全部聞かずに「おじさん！　説明っぽいね！」と言いながら出て行ってしまった。説明っぽい。なるほど。

その後は大阪の釜ヶ崎に、やはり初めは実習で行った。西成の労働者センターに大勢の労働者が仕事を求めて集まってくる。ごんべえが初めに行ったのは、何かあれば彼らの相談に応じる、という場だった。しばらくして「ん？　ワシはどっちにいるんだ？　反対じゃないか？」と、労働者の側に身を置くようになる。当時、労働者の中に賃金不払いなどに抗議して下請け会社だけでなく、元請の大企業まで抗議に行き、警察やヤクザの暴力にも一歩も引かない人たちがいた。彼らとの出会い、共に過ごした日々こそが、ごんべえの中核を作った、と言える。文字通り、身体を張る毎日だった。

自分の怒りが社会的な怒りだったことに気づき、施設の子への世間の目も他の多くの差別と重なっていること、当事者がそれぞれに苦しみを抱えながら仲間を作っている状況に「これだ！」と居場所を得た思いがした。親のいない人も珍しくなかった。建設現場や沖仲仕《おきなかし》で鍛えた頑丈な身体がまぶしかった。

それでもやはり社会福祉の仕事がしたくて活動の合間にはこつこつ勉強して大学を卒業し社会福祉士の試験にも合格して、大阪近郊の養護施設に就職した。

そこの子どもたちにとってみると指導員が自分たちと同じように施設出身である。親しまれ頼りにされた。ごんべえは朝の起床の音楽に岡林信康の「チューリップのアップリケ」をかけてしまう。＃ウチーやーっぱりおかあちゃんに買うて欲しい＃

子どもたちに悲しい気持ちを思い出させるな！　と施設長には怒られた。

それやらこれやらで、施設の指導員は二年で辞めた。

あるとき「この本にワシのことが出ているよ」と一冊の新書をくれた。伊藤友宣著『親とはなにか』（中公新書）。堺で指導員をしている頃、神戸の家庭養護促進協会に顔を出し、施設でなく家庭的な環境で子どもを育てようという伊藤さんに出会った。

ごんべえのことは「家の外」で育った青年、としてとりあげられている。主な内容を記すと、次のようだ。

いま彼は、関西のあるドヤ街に身のやすらぎを覚え、このんでその街のふうにあった言葉を使う。一種の若い気取りだが、彼の直感力が、体制への反発に向かわせている。

「人間ってくだらんもんでっせ。わし、大阪のにぎやかな地下のまん中で、酔ったふりして大声あげて、すわりこんでやりまんねや。通りよるやつ、こっちをみんなふりしてよけよる。わしのまわりがひろうなりまっせ。みな道の端の方を全然何事もないよう通りよりますわ。『家』ちゅうのは、ああいう人間つくるところでっしゃろ。」

人間理解のきっかけを彼は自分の視点に立って摑もうとしている。わたしは、彼の人間性を疑いもしない。かれは「家の外」で、まさしく人間として成長してきている。

まとめが長くなってしまった。でも若い頃のごんべえを、うかがい知ることができた。痩せて、長い髪に鋭い目。すねているようで、まっすぐ前を見ている。

同じ頃、つまり二三歳のとき、ごんべえは、あとにもさきにもたった一回、実の母親に会っている。社会福祉の仕事についたのでそのツテで、生まれた市の児童相談所か何かに問い合わせて出自を知ることができた。

知人の経営する喫茶店で顔を合わせた。きちんとした身なりの人で自分の描いた絵を持ってきていた。ごんべえは緊張と不安と、何かしらの期待を持っていたと思う。しかし、第一印象は冷静で落ち着いているように見えた。途端に怒りが前面にでてきてしまい、ひどい言葉を投げつけてしまう。お母さんはそのあと泣いて言葉が出ない。ごんべえは怒ったまま店を出てしまった。それきり。

その言葉を言い直せなくて、それっきりになってしまったことは後悔している。母親が後年亡くなる少し前に兄たちがごんべえに知らせようか？　と言ったら「合わせる顔がないからやめてくれ」と断ったそうだ。亡くなってからしばらくして一番下の兄がそれを知らせてきてくれた。出自の資料によれば満洲にいた母は夫が亡くなったため、四人の息子を連れて引き揚げてきた。それから別の男性と出会いごんべえが生まれた。戦後、戦争未亡人は未亡人らしく振る舞わなければならなかった。経済的にも苦しかっただろうし、周囲の目もあって育てられなかったのだろうと想像する。出生届は母親が出しているから生後数か月は経っていたのか……。

（やっぱり大声で泣けるくらいだったんだよ。見つかって良かったねー）

でも、海岸はひどいだろう。せめて病院とか教会にしないか？

この話になると、時々ごんべえは表情が変わる。奥まっている目がいっそう昏《くら》く、深くなる。昏《くら》い、という字はこんなときのためにあるんじゃないかと思う。

それでも、自分はラッキーだったと繰り返し語っている。

池田先生に出会い、西村さんの養子にしてもらい高校も大学も行けた。釜ヶ崎では自分を解き放つことができた。誰も恨んでなんかいない。だから世話になった人たちに恩返しはしなくちゃと思っている。ごんべえが亡くなる直前になっても「何かやらなくっちゃ」「やり残した仕事がある」と言っていたのは、それを含んだ「社会変革」なのだろう。

養護施設を辞めたあと、沖縄や名古屋に行き、名古屋では三里塚闘争にも参加している。

（へー、何色のヘルメットだった？）

黒ヘルだよ。

（アナキスト？）

うん、その中の「義理人情正統派」だ。ワシが名前を付けたんだ。

（はは、ごんべえらしい）

実際、好きな歌は演歌で、映画は寅さんだ。発病してから寅さんのビデオを二本買い繰り返し見た。渥美清の歌のイントロが流れてくると、「これを聞くだけでジーンとするんだ」とテレビから離れない。一方ではビートルズ世代なのにビートルズには関心がなく、サイモンとガーファンクルのファンだ。日本のフォークもギターをつまびきながら歌っていて、新宿西口フォークゲリラにも参加している。認知症が進んでからはギターは弾かなくなったが歌はよく歌っていた。小学校の頃、施設に帰ってから学校で習った歌をみんなで歌うのが楽しかったという。浜辺の歌が特に好きだった。発病してからも朝起きると「あーさはどこからくるでしょう、あーの山越えて……忘れちゃった……おっはよう、おはよう」とおどけていた。

名古屋に住んだあと、しばらくして結婚して柏に住んだ。勤めていた町工場の同僚から息子の勉強をみてやってくれないか？　と頼まれた。これが寺小屋のきっかけになる。勉強もみたが、それより一人ひとりが抱えていることの相談相手になり、ツッパリ少年が集まってきた。

私たち当時の大人たちも、ごんべえと寺小屋の少年たちに何故か惹かれて集まってきた。今から四〇年以上前の寺小屋でのさまざまな人たちの出会いはお互いに貴重な経験になっているのではないか。ごんべえの葬儀に思いがけず大勢の人たちが顔を出してくれた。大半はその頃知り合った人たちだ。私自身、その頃寺小屋に何回か訪れてごんべえとも話をするようになり、一番新鮮に響いたのが「個別具体的に関わる」という言葉だった。大学に入ってすぐ「婦人問題研究会」と「社会医学研究会」というサークルに入った私。ごんべえも「養護施設問題研究会」を作ったと言っていた。障害者問題だし、教育問題だった。しかし、ごんべえはそれではダメだという。そうでなく、正幸であり純生なのだ。一緒にまみれるんだ、と言われた。

それは介護が必要になり、「高齢者問題」の当事者になって再び意味を持ってきた。西村さん、歩かないともっと足が弱りますよ、とケアマネや医師が説得しようとする。「リハビリをやるとそんなに変わりますか?」とごんべえが聞く。それはやらないよりはやったほうが、ね。

「そんな程度ならワシはやりません」とキッパリ。(拍手)

今のごんべえにとって、ではなく足の弱った高齢者一般についてしか語れない専門家の限界である。

ワシのことはワシが決める、は当たり前のように見えて実際に使うとわがままととられかねない。そうでなく、その意味を深めてみたい。自分のことなのに他人が決めて従わされていないか？　ルールで決めてもらった方が楽、だと思っていないか？

世間に抗い、血縁の呪縛に抗い、精神の自立を求め続けたごんべえの矜持は、どんなに記憶が失われても少しもそこなわれていなかった。

寺小屋の活動をしている頃、よく言っていたのが「あいつらはワシだ」。不器用でうまく自分を表現できない、言っても親や教師はまともにとりあわない、逆らって怒らせて、やっとこっちを見てくれる。でも、真意はなかなか伝わらない。だからごんべえは彼らのためにではなく自然に彼らにまぎれて、信頼関係を作った。寺小屋のメンバーとユーズリサイクルセンターを作り徐々に事業として成り立って行ったのも、東葛地域での多くの人たちの支えのおかげだし、また周囲の人にとってもユーズの存在は面白くて、頼りにもなるものだった。だから店に来たパキスタン人と友達付き合いが始まったのは、ごく自然な成り行きだった。

何人かのパキスタン人から、みやげや手紙を預かってカラチに初めて行ったのが一九九一年。湾岸戦争終了直後で、街中には落書きがあふれていた。アラビア文字は読めないが英語でダウンダウンブッシュ、と書かれていたのを覚えている。要所要所には銃を構えた兵士が通りを見張っている。アフガン難民のテントも目立っていた。その喧噪の中、信号で車が止まるたびに駆け寄って手を出す子どもたち。さりげなく小銭を渡す人もいればシッシッ、と追い払う人もいる。うーん、どっちもイヤだな、どうしたらよいのか……。

そのあと「物乞いの子どもの手のひらに何をのせたらよいのか」と、ごんべえのパキスタンでの活動が始まる。カラチで無料の学校を運営していたムザヒルさんと出会い、古着の回収事業を通して学校の運営資金を作る「日本ファイバーリサイクル連帯協議会（ＪＦＳＡ）」の設立。ここから先はＪＦＳＡの物語。

ごんべえは一貫して「無名」にこだわった。

施設での仲間たち、現場労働の仲間たち。無名に生き、死んでいく無数の人々。パキスタンのアル・カイールアカデミーの教室では子どもたちの座席の間に座って授業を聞いていた。ゴミ処理場のカチラクンディでは土の上に座り込んで一緒にゴミを選り分けていた。ある時期、カラチに住んで学校を中途でやめた子どもたちと付き合いたいと思っていたが、外国人がスラムに住むのは危険だとムザヒル校長に止められた。二〇一四年にＪＦＳＡを辞めてからのメモ帳には学校に図書館を作りたいなど関わりをどうにか続けられないか、あれこれ考えていた様子が分かる。

仕事を辞めてから主に詩の本をよく読み、気に入った文を写したりしていた。

（ごんべえ、そんなに読んでいるんだから、自分で詩を書きなよ）

いやーワシは頭を掻くか、恥を掻くかしかできないよ。

書き写して額に入れてある言葉から。

苦しみつつ働け
常に苦しみつつ常に希望を抱け
永久の定住を望むな
此の世は巡礼である

ストリンドベリ

もう一つ。

無名にて
死なば星らにまぎれんか
輝く空の生贄として

寺山修司

シリウスやスバルでなく晴れた夜にやっと見えるような小さな星になっているか？

はたまた本物のワシになって、群れることなく大空をゆうゆうと飛んでいるか……
空の上の方から声が聞こえてくる気がする。
みんなーまた会おうなあー

（了）

おわりに

二〇二〇年四月七日、「緊急事態宣言」が発出された。この日、この瞬間のことは決して忘れない。多分夕方四時頃だったと思うが私は図書館に向かっていた。ところが五時まで開いているはずの図書館で職員数人が閉め始めている。あれ？　と思ったら宣言が出たので閉めます、と。返本だけして戻る道々、何か空気が一変したのを感じた。

昨日と今日でコロナの何が変わったの？　急に悪性の病気になったの？　「宣言」一つで町中の雰囲気ががらっと変わり静かになり、みんなが身を正し、他人への視線も厳しくなり……こういうことなのか、とゾッとした。

お子様用としか思えないマスクがポストに入っていて（すぐに送り返したが）、学校は突然休校。え？　子どもたちの中で感染者が急増してるの？　千葉県内のある駄菓子屋さんには「コドモアツメルナ」と不気味な脅しの紙が貼ってあった。パチンコ屋の開店を待つ人の行列には、それをののしる人たちが集まっていた。

「あー、やっぱりこういうことなんだ」

不要不急の外出はお控えください。誰が不要や不急を決めるのか？　リモートワークが推奨される一方、例えばコンビニの店員、そこに商品を運ぶ運転手などは休めない。病院や施設の職員の労働量も大きくなった。

コロナのパンデミックにより、国によっては強力な外出禁止令が出て、違反すると逮捕者も出たし、生活制限は途方もないレベルになった。あの事態をどう考えるのか。その後も流行の波が繰り返され、感染者も初めの宣言のときよりはるかに多かった時期もあった。対策の是非を検証すべきだが、うやむやのように感じられる。

コロナ対策の是非はともかく、「緊急事態宣言」の威力を見せつけられ、戦時中の次々に出された法律や宣伝、最終的に「国家総動員法」につながる政府の力の強さを思った。それを可能にしたのは上が決めたのだから仕方がない、という従順な姿勢と人々の相互監視ではなかったのか。

鶴丸幸代さんの提起をきっかけに「制度との距離」を考えてきた。私の場合は思索でなく経験が基になっている。元々持っていた個人主義的傾向（?）に加えて、西村の「個別具体的に」関わるという姿勢の影響かもしれない。いわゆる現場にただ居ただけなのだが、そこで一人ひとりから学んだことは多い。法律や制度は為政者の方針で変わるのだが、現実に生活を営んでいる者にとってどうなのだろう。特に弱者と呼ばれる人たちは当事者なのに尊重されていない。生産効率第一の社会にあっては落ちこぼれでありお荷物として扱われる。

でも、誰の心にもこれではイヤだ！　と反抗する力があると思う。私のことは私が決める、はどの人も望んでいるのではないか？　そのために壁になっているものは何か？　支援という言葉も美化され安易に使われているがそれもおかしい。支援される側は受け身なのか？　支援する人たちは偉いのか？　差別と無縁なのか？

教育も医療も福祉も、こうした疑問を常に抱えている。抱えているという自覚を持ちたい。「私！」と主張するときに生まれる周囲との軋轢《あつれき》から何かが見えてくるように思う。あるときは制度に逆らい、あるときは逃げて、他人の視線でなく自分の考えを主張し行動しよう。

周囲に合わせているだけなら、挙国一致体制だ。異端者の排除になっていく。

こうした価値観・世界観を共有してきた、もう先に逝ってしまった先輩、友人たち、みんな、どうしている？　元気にしてる？　死者に元気か問うのはおかしいけれど、それが実感です。また会って、もっと語り合おう。

そして、今、地球上でありとあらゆる困難を抱え、呻吟している無数の人たちへ。

黙って我慢することなく、上からの大きな力への抵抗として、自分のことは自分で決めよう、「自分たち」と言える関係を作っていこう。

昨年（二〇二二年）五月に、介護していた西村が急死して、あっけにとられ、自分の中から言葉が湧き出てきたのが附章の『ごんべえ』という冊子になりました。友人知人だけにお配りしましたが、古くからの知人で編集の仕事を長くやってきた野中文江《ふみえ》さんと松林依子《よりこ》さんのお目に止まり、あれこれおしゃべりしていた結果、「何か書く」という方向になりました。西村の死の一か月前に、共通の友人であるライター高橋姿子《しなこ》さんが亡くなったのも、私たち三人が顔を合わせるきっかけになりました。

「みなさまのおかげで」という定番のお礼が定番以上の意味を持っています。

死は残された人たちをつなげていく、まさしくそのとおりです。

みなさま、ありがとうございました。

ますもと　うめ

二〇二三年八月

ますもと　うめ（池亀卯女）

1944年　東京生まれ
1964年　東京大学入学
1968年　同大学医学部闘争参加
1972年　同大学卒業後、小児科学教室にて研修
1973年　東京都青梅市立病院小児科
1976年　新潟県町立大和病院小児科
1980年　千葉県我孫子つくし野病院小児科勤務
1983年　千葉県松戸市で池亀小児科医院開業
2018年　同医院閉院

松戸市周辺で地域活動
1985年　活動の場として「すぺーす遊」を開く
障害児の親の会、ツッパリ少年たちの仕事場、などを手伝う
1991年からパキスタン、カラチの学校支援活動に参加
2001年から隅田川医療相談会に参加

著　書『育児不安をこえる子育ての輪』ユック舎　1987年

自分のことは自分で決める——世間との距離感

2023年11月30日　初版第1刷発行

著　者　ますもと　うめ
発行者　森下紀夫
発行所　論 創 社
〒101-0051 東京都千代田区神田神保町2-23　北井ビル
tel. 03（3264）5254　fax. 03（3264）5232　web. https://ronso.co.jp
振替口座　00160-1-155266
装幀／宗利淳一
印刷・製本／精文堂印刷　組版／フレックスアート
ISBN978-4-8460-2332-4